Siglo de aventuras

THE MACMILLAN COMPANY
NEW YORK · BOSTON · CHICAGO · DALLAS
ATLANTA · SAN FRANCISCO

MACMILLAN AND CO., LIMITED
LONDON · BOMBAY · CALCUTTA · MADRAS
MELBOURNE

THE MACMILLAN COMPANY
OF CANADA, LIMITED
TORONTO

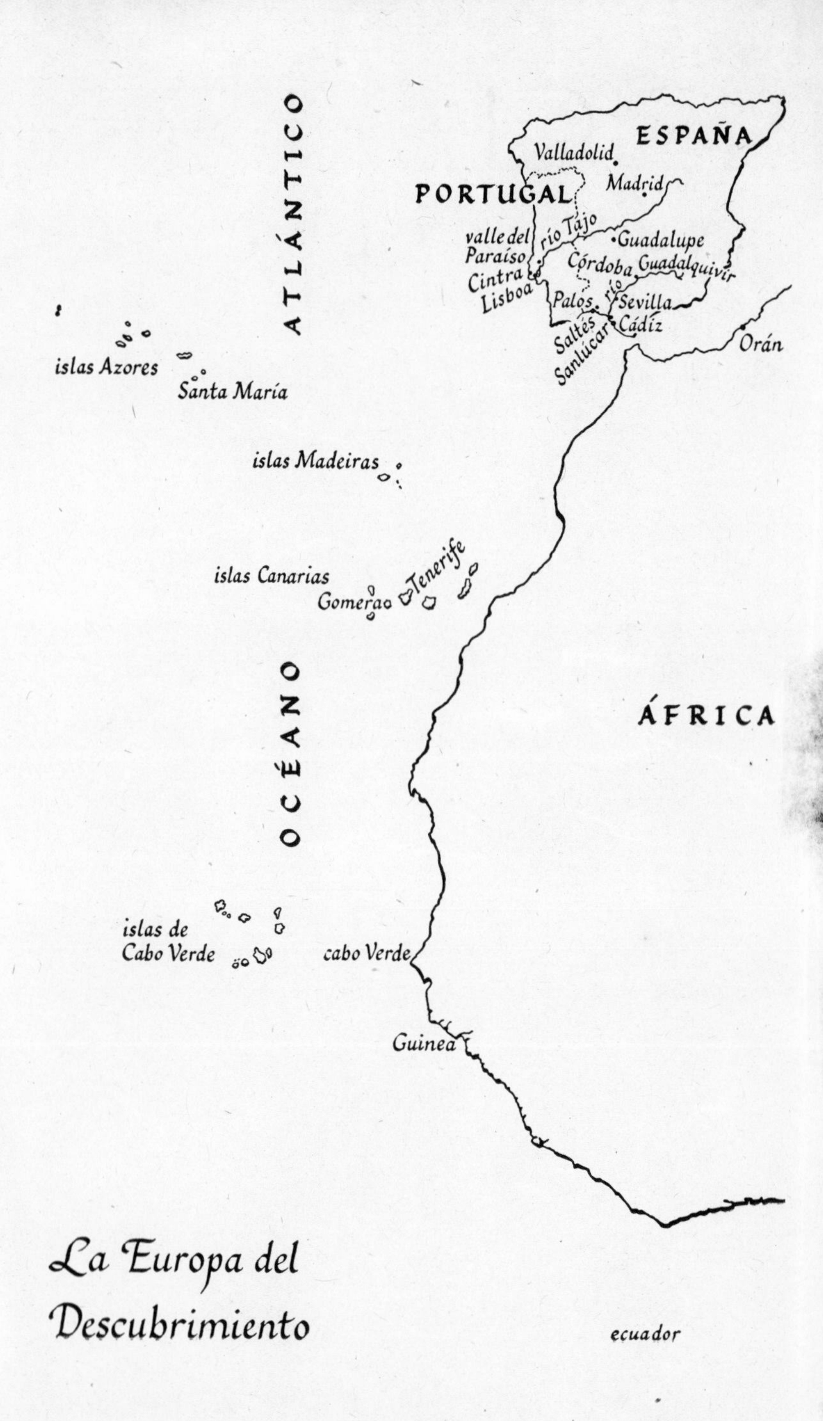
OCÉANO
ATLÁNTICO
ESPAÑA
PORTUGAL
Valladolid
Madrid
río Tajo
valle del
Paraíso
Cintra
Lisboa
Guadalupe
Córdoba
Guadalquivir
río
Palos
Saltés
Sanlúcar
Sevilla
Cádiz
Orán
islas Azores
Santa María
islas Madeiras
islas Canarias
Gomera
Tenerife
ÁFRICA
islas de
Cabo Verde
cabo Verde
Guinea
ecuador

La Europa del Descubrimiento

SIGLO DE AVENTURAS

NARRATIVES OF SPANISH EXPLORATION IN AMERICA

Adapted and Edited by DORIS KING ARJONA
Ph.D., Professor of Spanish in the John B. Stetson University, and CARLOS VÁZQUEZ ARJONA
Ph.D., Formerly The United States Naval Academy

With maps by Hilda Scott

THE MACMILLAN COMPANY
New York 1947

PRINTED IN THE UNITED STATES OF AMERICA

Published September, 1943

Reprinted April, 1945; October, 1946; June, 1947

PREFACE

Siglo de aventuras is a second year reader designed to give students of Spanish an idea of the nature and scope of Spanish exploration in the New World. The quest of Spanish American literature suitable for classroom use has failed almost entirely to take into account the first, and in many ways the best, ever written: the narratives of the Spanish explorers. They paint as lively pictures of men and nature as any that have succeeded them. They recount important historical events. They have great contemporary interest, for they describe in vigorous detail regions which are now seriously engaging our attention. They chronicle the initial stage of the impact of Spanish upon Indian civilization which is the key to Spanish American character and custom. Their portraits break down the proud, cruel Spaniards of legend into individuals presenting the usual complexities of human nature.

In spite of the great value and interest of these accounts, their antiquated language and verbose style make them, in their original form, virtually inaccessible to all but advanced students of Spanish. To make them readable for undergraduates, it has been necessary to modernize them, to supply punctuation, to dismember sentences which run for pages on end. To make each chapter a complete story, it has been necessary to condense, to adapt, and usually to rewrite. A few of the stories have been filled in with details taken from other accounts. These processes alter the tempo and emphasis of the original, but that sacrifice is unavoidable and is made with no further apology.

The choice of material for the book has been governed by

such considerations as interest, variety and accessibility. The narratives, most of them by persons who participated in the events which they recount, are presented without historical criticism. Their tall tales, usually designed to impress royalty; their curious, often pathetic efforts to describe the New World in terms of the Old; their flights of imagination, are in themselves as informative as the soberest statement of historical fact. Even Garcilaso's embroiderings on the history of Florida and Peru afford interesting glimpses into the mind of a man who was a citizen of both Europe and America.

The footnotes have no critical purpose: they are used only to clarify the text or to complete some phase of the story which it does not carry to the end. The foreword accompanying each chapter gives essential facts about its author or subject matter. It is hoped that the selected reading list which follows the text will encourage students to enlarge their acquaintance with this field, which is extraordinarily rich and too little known.

The authors take pleasure in expressing their appreciation to Miss Hilda Scott, who drew the maps and designed the cover for this book.

D. K. A. *and* C. V. A.

CONTENTS

Cristóbal Colón
Diario del primer viaje 1

Garcilaso de la Vega, el Inca
El naufragio de Pedro Serrano 13

Antonio de Pigafetta
El famoso viaje de Magallanes 19

Bernal Díaz del Castillo
Hernán Cortés y el gran Montezuma 31

Alvar Núñez Cabeza de Vaca
Atravesando la América del Norte 51

Garcilaso de la Vega, el Inca
Las extrañas aventuras de Juan Ortiz 63

Garcilaso de la Vega, el Inca
El viaje de Hernando de Soto a la Florida 71

Garcilaso de la Vega, el Inca
Cómo vivían los incas 79

Alvar Núñez Cabeza de Vaca
Exploraciones en la América del Sur 87

Fray Gaspar de Carvajal
Francisco de Orellana baja por el Amazonas 95

Pedro de Valdivia
Colonización de Chile 105

Francisco Vázquez
Andanzas de Lope de Aguirre 113

Reading List 127

Exercises 133

Vocabulary 141

MAPS

La Europa del Descubrimiento *frontispiece*

Colón en las Antillas 2

El Estrecho de Magallanes 20

Marcha de Cortés a México 30

Cabeza de Vaca's North American Journey *between* 54–55

Cabeza de Vaca en la América del Sur 88

Expedición de Orellana 96

Valdivia en Chile y el Perú 106

Ruta de Orsúa y Aguirre 114

Siglo de aventuras

Cristóbal Colón

DIARIO DEL PRIMER VIAJE

(1492–1493)

Cuando Cristóbal Colón empezó su muy famoso viaje a las Indias, cuatro grupos de islas, las Canarias, Azores, Madeiras y Cabo Verde, formaban las avanzadas del Viejo Mundo en el Atlántico. El primero de sus cuatro viajes condujo al almirante a las primeras avanzadas del Nuevo Mundo: las Indias Occidentales. Había salido en busca del oro y las especias del Oriente; por eso creyó que la tierra a que había llegado era la costa de la China o del Japón. Además, su voluntad se empeñaba en que fuera así, y su imaginación le mostraba lo que él quería ver. Se ha perdido el diario original de Colón, pero ha sido reconstruido por medio de los largos pasajes citados en la obra de Bartolomé de las Casas y en la vida del almirante escrita por su hijo Fernando. Sus impresiones del Nuevo Mundo, la fundación de la primera colonia europea, y la peligrosa vuelta a Europa están descritas en el diario en estilo vívido y hasta poético a veces.

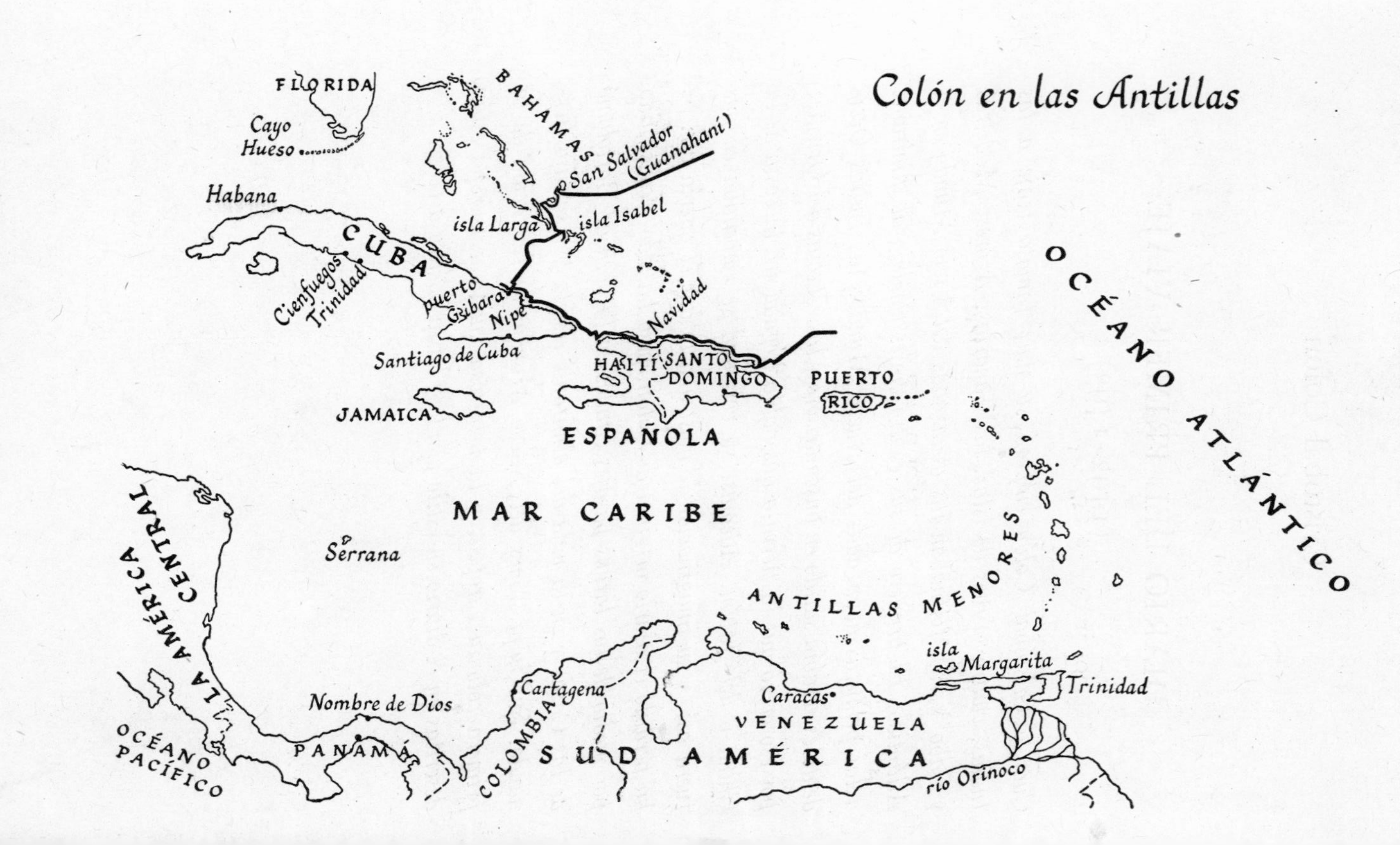

Colón en las Antillas
FLORIDA
Cayo Hueso
BAHAMAS
San Salvador (Guanahaní)
isla Isabel
isla Larga
Habana
CUBA
Cienfuegos
Trinidad
puerto Gíbara
Nipe
Navidad
Santiago de Cuba
HAITÍ
SANTO DOMINGO
PUERTO RICO
JAMAICA
ESPAÑOLA
OCÉANO ATLÁNTICO
MAR CARIBE
Serrana
ANTILLAS MENORES
isla Margarita
Trinidad
Caracas
VENEZUELA
Cartagena
COLOMBIA
Nombre de Dios
PANAMÁ
SUD AMÉRICA
río Orinoco
LA AMÉRICA CENTRAL
OCÉANO PACÍFICO

Lunes 17 de septiembre. Navegamos hacia el oeste el día y la noche. Vimos mucha hierba que venía del oeste y parecía hierba de ríos. En ella hallamos un cangrejo vivo, que guardé porque esto era señal cierta de tierra. Rogué a Dios, en cuyas manos están todas las victorias, que nos mostrara tierra.

Jueves 20 de septiembre. Vinieron al navío cuando amaneció dos o tres pajaritos cantando y desaparecieron antes de salir el sol.

Miércoles 10 de octubre. La gente se quejaba del largo viaje, pero yo animé a todos lo mejor que pude. Les hice ver lo que ganarían si llegábamos al fin de nuestro viaje. Añadí que el quejarse no les aprovecharía nada, porque con la ayuda de Nuestro Señor yo no volvería a España hasta llegar a las Indias.

Jueves 11 de octubre. Los de la carabela *Pinta* tomaron un pedazo de caña y otra hierba que nace en tierra. Yo, desde la popa, vi una luz a las diez de la noche. Luego otros la vieron una o dos veces. Era como una pequeña vela que subía y bajaba. En vista de esto tuvimos por cierto que estábamos junto a la tierra y todos dijimos la *Salve*.[1] Después de esto yo prometí dar un jubón de seda al primero que viera tierra. Recordé a todos también que los reyes habían prometido dar diez mil maravedís al primero que la viera.[2]

Viernes 12 de octubre. Rodrigo de Triana fué el primero que gritó, «¡Tierra!» Eran las dos de la mañana. A esta hora llegamos a una isla que se llama en lengua de indios *Guanahaní*. En una barca armada nos acercamos a la playa yo, Martín Alonso Pinzón, capitán de la *Pinta*, y su hermano Vicente Yáñez Pinzón, capitán de la *Niña*. Luego desembarcamos, llevando la bandera real. Los dos hermanos llevaban también

[1] *Salve, Regina* (Hail, holy Queen), an old church anthem. In Columbus' day the end of a successful voyage was usually celebrated by a religious service. Columbus was especially devout. On his ship, the rituals assigned to certain hours were always duly observed.

[2] Columbus himself received this reward.

dos banderas de cruz verde, con una *F* y una *I*,[1] y sobre cada letra había una corona. Tomé entonces posesión de la isla en nombre del rey y de la reina.

Luego se acercaron a nosotros muchos vecinos de la isla. Yo, para que nos tuvieran por amigos, dí a algunos de ellos bonetes colorados, cuentas de vidrio y otras cosas de poco valor, que ellos recibieron con alegría. Para que les diéramos más cuentas y cascabeles, ellos nos traían hilo de algodón, papagayos y otras cosas. Ninguno de estos indios me pareció tener más de treinta años. Todos me parecieron hermosos de cuerpo y de rostro. Llevan el pelo corto. Algunos se pintan el cuerpo de blanco o de rojo; otros se pintan sólo la cara, sólo los ojos, o sólo la nariz. No traen armas ni conocen el hierro. Nosotros les mostramos espadas, y cuando las tomaban se cortaban con ellas. Esta gente es de muy buen carácter, y creo que fácilmente se haría cristiana.

Sábado 13 de octubre. Después que amaneció llegaron a la playa muchos de estos hombres. Se acercaron a mi nave en canoas hechas de troncos de árboles. Estas canoas eran tan grandes que en algunas venían hasta cuarenta y cinco hombres. Noté que algunos de ellos traían pedazos de oro colgando en la nariz. Estos hombres nos daban todo lo que tenían por cualquier cosa nuestra.

Viernes 19 de octubre a lunes 22. Al amanecer envié la carabela *Pinta* al estesudeste, la *Niña* al sudsudeste, mientras yo, con la *Santa María*, navegaba entre ambas. Apenas habíamos navegado tres horas cuando vimos una isla hacia la cual fuimos. La parte de la isla que hemos visto es muy hermosa. Es de árboles muy verdes, y hay en ella hierbas que valen mucho en España, mas yo no las conozco, lo cual me duele mucho. Al llegar aquí vino un olor tan suave de flores y árboles que era la cosa más dulce del mundo.

En esta isla hay muchas grandes lagunas, y alrededor de

[1] For Ferdinand and Isabel. Ferdinand was king of Spain from 1474 to 1516; Isabel was queen from 1474 to 1504. On this occasion Columbus wore over his armor the red robe of an Admiral of Castile.

ellas hay tan verde vegetación como en el mes de abril vemos en Andalucía. Los pájaros son tantos y tan diversos y su canto tan lindo que nunca quisiera partir de aquí. Los papagayos son tan numerosos que cuando vuelan esconden el sol. Andando alrededor de una laguna vimos una serpiente de cinco pies.[1] Ella al vernos entró en el agua, y nosotros la seguimos dentro, porque el agua no era muy honda. Allí mismo la matamos, y yo guardo el cuero para los reyes.

Andando en busca de agua llegamos a un pueblo que está aquí cerca. Los vecinos al vernos dejaron las casas, pero después algunos de ellos se acercaron a nosotros. Yo dí a uno de estos hombres cascabeles y cuentas para mostrar que queríamos ser amigos. Más tarde volvieron a la playa donde estábamos con agua en calabazas, y muy alegres nos la dieron toda. Yo he decidido coger aquí bastante agua para llenar todas las vasijas de las naves. Si el tiempo me lo permite, partiré de aquí para otra isla. También tengo que ir a tierra firme para dar las cartas de los reyes al Gran Can y volver a España con la respuesta.[2]

Martes 23 *de octubre*. Quisiera partir hoy para la isla de Cuba, que creo debe ser Cipango.

Domingo 28 *de octubre*. Es la isla de Cuba la más hermosa que ojos humanos hayan visto.[3] Está llena de verdes montañas, excelentes puertos y hondos ríos. En su costa parece que el mar nunca sube, porque la hierba llega hasta la playa. Los indios que cogí en la isla de *Guanahaní* dicen por señas que en Cuba hay diez ríos grandes, y que ellos con sus canoas no pueden rodearla en veinte días. Dicen también que la isla es visitada por las naos del Gran Can y que en ella hay perlas y minas de oro.

Viernes 2 *de noviembre*. Resolví enviar primero dos hombres a buscar al Gran Can. Uno se llama Rodrigo de Jerez y el otro

[1] Probably the iguana whose skin Columbus later presented to the king and queen.

[2] From October 19 to 24 Columbus was in isla Isabel (Crooked Island).

[3] Columbus was in Cuba or adjacent waters from October 28 to December 5.

Luis de Torres. Les dí cuentas para que con ellas compraran comida, y les mandé que volvieran dentro de seis días. Les dí también especias que traje de España para ver si hallaban algunas de ellas en la isla.[1] Les repetí lo que habían de decir al señor de la tierra de parte de los reyes de Castilla, y les pedí que anunciaran mi visita.

Domingo 4 de noviembre. Temprano, antes de salir el sol, entré en la barca y fuí a tierra a cazar algunas de las aves que había visto el día antes. Cuando volvía, vino a mí Martín Alonso Pinzón con dos pedazos de canela. Me dijo que un marinero que tenía en su nave había visto un indio que traía mucha de ella. Mostré luego a otros indios canela y pimienta para ver si las conocían, y dijeron por señas que cerca de donde estábamos, hacia el sudeste, había abundancia de ambas especias. Les mostré entonces oro, y algunos respondieron que en una isla que llamaban *Bohío*[2] los habitantes lo llevaban en las orejas, en los brazos, en las piernas, y alrededor del cuello. Luego volví a la nave a esperar los dos hombres que había enviado a explorar.

Martes 6 de noviembre. Anoche llegaron los dos hombres que habían salido a buscar al Gran Can. Me dijeron que habían andado hasta un pueblo de mil vecinos y sólo cincuenta casas. Esto es posible, porque en una casa viven muchos. Me dijeron que los habían recibido con mucho respeto y que les tocaban y besaban las manos y los pies. Cuando se despidieron, la mitad del pueblo salió a acompañarlos. Mis dos mensajeros vieron en el camino otros indios que volvían a sus pueblos. Llevaban un tizón en una mano y en la otra unas hierbas

[1] In the Europe of Columbus' day there was urgent need of a route which would give easier access to the spice islands of the Orient. Food was tasteless when prepared without spices, and they had to be brought, by caravans or in ships, over land and sea routes swarming with robbers and pirates. The Christian nations were not allowed the use of these routes; they had to deal with Turkish and Arabian intermediaries. As a consequence, cloves, nutmeg, ginger, cinnamon, pepper — all were costly. Pepper especially was worth its weight in silver. It was customary to shut the windows of any room in which it was weighed for fear the wind might blow away one precious grain.

[2] Indian name for Hispaniola (Haiti and Santo Domingo).

dentro de cierta hoja seca. Encendían esto por un cabo y chupaban por el otro. *Tabacos* es el nombre que dan a lo que chupan, y dicen que chupándolos no se cansan.

Miércoles 21 *de noviembre*. Este día se apartó Martín Alonso Pinzón con la carabela *Pinta*, sin permiso mío. Cree que cierto indio que envié a aquella carabela va a enseñarle donde hay mucho oro. Pinzón ya ha hecho otras cosas sin mi voluntad.

Miércoles 5 *de diciembre*. Ibamos navegando al este cuando, mirando al sudeste, vi tierra. Era una isla muy grande, alta y de hermosos campos. Esta tierra me hizo pensar en los campos de trigo de Córdoba por el mes de mayo, y por eso la llamé *Española*.[1]

Martes 25 *de diciembre*. Como el mar estaba tranquilo, el marinero que gobernaba mi nave resolvió irse a dormir. Dejó el timón al grumete, cosa que yo había prohibido siempre durante todo el viaje. A las doce de la noche, después de haberme retirado, los otros marineros, viendo que el mar seguía tranquilo, se fueron a dormir también. Después de un rato las olas llevaron nuestra nave a unos bancos, tan suavemente que apenas se sentía. El grumete, que seguía junto al timón, al darse cuenta de lo que sucedía, empezó a dar gritos. Yo salí al instante y viendo que tocábamos fondo, mandé echar al agua cuanto no fuera indispensable llevar, esperando que con menos carga la nave podría volver a flotar. Luego mandé decir lo que nos había sucedido al cacique de aquella tierra, cuyo pueblo no estaba lejos. Al saber del naufragio, el cacique despachó algunos de sus parientes a consolarnos y envió otra gente con canoas para ayudarnos a sacar de la nave lo que quedaba. No creo que haya en el mundo mejor gente que ésta.

Miércoles 26 *de diciembre*. Hoy, al salir el sol, vino el cacique a la *Niña*, donde yo estaba. Comimos juntos, y después fuimos a tierra. El cacique llevaba ya la camisa y los guantes que yo le había dado, y se reía al verse los dedos en los guantes. Yo me animé mucho al hablarle, y casi olvidé el dolor que sentí

[1] Columbus was in Hispaniola or adjacent waters from December 5 to January 16.

al perder la nave. La verdad es que la entrada de la nave en los bancos no fué desgracia sino ventura. Si no hubiéramos naufragado allí, no habríamos descubierto aquel lugar, que es ideal para una fortaleza. Ahora, con las tablas que sacaron los marineros de la *Santa María*, he resuelto hacer una fortaleza con torre y cueva. De todo lo que había en la nave, no perdimos ni siquiera un clavo. Espero en Dios que al volver de Castilla hallaré mucho oro sacado de las minas de esta isla por los hombres que voy a dejar aquí.

Lunes 31 de diciembre. Hoy mandé tomar agua y leña para la vuelta a España. Creo conveniente dar noticia pronto a los reyes para que envíen más navíos a explorar estas tierras. Esto parece tan grande que es maravilla.

Miércoles 2 de enero. Bajé por la mañana a tierra para comer con el cacique y luego despedirme de él. El mostró mucho sentimiento al saber de mi partida, en particular cuando me vió ir a bordo. Embarqué este día con propósito de salir en seguida, pero el viento no me lo permitió. En la fortaleza he dejado treinta y nueve hombres y tres tenientes para gobernarlos. Les he dejado granos para sembrar, bizcochos y vino para un año, la barca de la *Santa María*, y mucha artillería. Entre ellos hay un escribano, un alguacil, un carpintero, un médico y un sastre. Llamé *Navidad*[1] al lugar de la fortaleza porque habíamos llegado allí el veinte y cinco de diciembre.

Domingo 6 de enero. Después de mediodía mandé que un marinero subiera al palo más alto de la *Niña* para observar el mar. Este vió acercarse la *Pinta* de Martín Alonso Pinzón. Pinzón vino a bordo de la *Niña*, donde yo estaba, a excusarse por su ausencia, diciendo que se había apartado contra su voluntad. Aunque dió muchas razones, yo creo, sin embargo, que todas eran falsas. Pinzón se había separado de nosotros desde el veinte y uno de noviembre. Yo fingí no dar importancia a ello, porque deseaba que este viaje tuviera buen fin.

[1] When Columbus returned to Hispaniola on his second voyage (1493–1496) he found that the Indians had burned the fort and killed every member of the colony.

Miércoles 16 de enero. Partí de Española antes de salir el sol con viento que venía de la tierra. Poco después el viento principió a soplar del oeste, y con la proa hacia el este navegamos con rumbo a la isla de Carib.[1] Los indios nos habían dicho que por allí había otra isla poblada sólo por mujeres. Yo habría deseado verla para llevar a los reyes cinco o seis de ellas. Sin embargo, como el viento nos llevaba ahora al nordeste, preferí aprovecharlo y seguir derecho a España.

Miércoles 23 de enero. Anoche los vientos cambiaron mucho y tuvimos que esperar muchas veces a la *Pinta* porque uno de sus palos estaba roto. Si su capitán Pinzón, en vez de salir a buscar oro, hubiera salido a buscar un nuevo palo para su nave, todo marcharía mejor. Hace algunos días que no llueve y el mar está tranquilo, gracias a Dios.

Jueves 14 de febrero. Ayer hubo mucho viento y las olas eran espantosas. Durante largo rato la nave no podía seguir adelante ni volver atrás. La *Pinta* desapareció otra vez, y entonces mandé que toda la noche hubiera luz en mi nave para que Pinzón supiera donde estábamos. Como al amanecer el viento soplaba con mucha furia, hice un voto. Yo, o quien la suerte designara, llevaría una vela de cera a Santa María de Guadalupe si salíamos del peligro en que estábamos. Mandé que trajeran entonces tantos granos de garbanzo como personas había en la nave. Con un cuchillo hice una pequeña cruz en uno de ellos, y luego eché todos los granos en un bonete. El que sacara el garbanzo de la cruz llevaría la vela a Santa María. Yo metí la mano y lo saqué.

Además de este voto cada uno en particular hizo el suyo. Lo que me causaba más dolor era pensar que yo podría morir antes de que las noticias que llevaba llegaran a los reyes. El recuerdo de mis dos hijos que había dejado en Córdoba, sin parientes ni dinero y en ciudad extraña, también me hacía sufrir mucho. Para que, si yo moría, los reyes tuvieran noticias de mi viaje, resolví escribir un documento. En él declaré lo que había descubierto, y en cuánto tiempo. Dije algo del clima, del

[1] Puerto Rico.

carácter de los habitantes y de cómo los reyes de España quedaban en posesión de todo lo que había hallado. Añadí que el que hallara este documento y lo llevara a la corte recibiría mil ducados. Entonces metí el documento entre dos tablas de cera, lo puse dentro de un barril, que cerré muy bien, y lo arrojé al mar. No satisfecho con sólo un documento, escribí otro igual, y en otro barril lo puse en la parte más alta de la popa, esperando que, si la nave se hundía, el barril flotaría sobre las olas.

Sábado 16 *de febrero*. Ayer por la tarde el cielo comenzó a mostrarse claro aunque el mar estaba todavía muy alto. Esta mañana todos vieron tierra. Algunos me dijeron primero que era la isla Madeira, y otros que era Cintra. La verdad es que nos acercábamos a una de las islas Azores.

Lunes 18 *de febrero*. Navegué alrededor de la isla para ver dónde había de entrar. Cuando salió el sol envié algunos a tierra para que hablaran con los vecinos. Estos les dijeron que estábamos en la isla de Santa María, una de las Azores. Los de la isla decían que jamás habían visto tan mal tiempo. Como hacía quince días que había tormenta, no comprendían cómo habíamos podido entrar en el puerto. Al saber que veníamos de las Indias todos empezaron a hacer fiesta.

Lunes 4 *de marzo*. Al amanecer reconocimos la roca de Cintra junto al río de Lisboa. Después que entramos en el río yo escribí al rey de Portugal[1] rogándole que me diera permiso para ir con la carabela a Lisboa, añadiendo que no venía de Guinea sino de las Indias.

Sábado 9 *de marzo*. En este día salí a ver al rey, que estaba en el valle del Paraíso, a nueve leguas de Lisboa. Como llovió mucho no pude llegar hasta la noche. El rey me recibió muy bien y me mandó sentar. Pareció tener mucho interés en el viaje y se alegró al ver que había tenido tan feliz término.

[1] John II, to whom Columbus had unsuccessfully appealed before going to the Spanish monarchs. The King received Columbus very well considering that his voyage had probably given Spain an advantage which Portugal had been seeking for almost a century.

Viernes 15 de marzo. Ayer, después de ponerse el sol, navegamos hasta que amaneció, con poco viento. A mediodía pasamos la barra de Saltés y entramos en el puerto de Palos, del cual habíamos partido el tres de agosto del año pasado. Por los muchos milagros que hemos visto, sé que Dios ha querido que hagamos este viaje, el cual hará gran honra a la cristiandad.

Garcilaso de la Vega, el Inca

EL NAUFRAGIO DE PEDRO SERRANO

Es bien sabido que el naufragio de Alejandro Selkirk en la isla de Juan Fernández, que está al oeste de Chile, inspiró el Robinson Crusoe *de Daniel Defoe. Lo que no es tan bien sabido es que mucho antes de Defoe un escritor peruano dió a conocer las aventuras de un castellano que había naufragado y pasado siete años en una isla desierta del mar Caribe. Vemos, pues, que en dos islas españolas del Nuevo Mundo se desarrollan las aventuras paralelas de un* Robinson *inglés y otro español. El escritor peruano es el inca Garcilaso de la Vega. Su lindo relato forma parte de su extensa obra titulada* Los comentarios reales. *De labios de un caballero que conoció a Pedro Serrano — tal era el nombre del* Robinson *español — el inca Garcilaso oyó lo que nos cuenta en las páginas que siguen.*

La isla Serrana[1]

La isla Serrana, que está entre Cartagena y la Habana, se llamó así en honor al español Pedro Serrano, cuyo navío se hundió cerca de ella. De todos los que iban en el barco Serrano fué el único que se salvó, porque 5 era hombre fuerte y sabía nadar muy bien. No lejos de esta isla, que en total tiene dos leguas de largo y ancho, hay otras más pequeñas. Todas ellas están rodeadas de agua tan llana que los barcos grandes tienen que navegar a mucha distancia de ellas para no tocar fondo. Antes del caso histórico de Pedro 10 Serrano ninguna de estas islas tenía nombre.

Serrano, viéndose solo en la isla, donde no había agua ni leña ni hierba, y sin esperanza de ver barcos, creyó su situación más cruel que si hubiera muerto con los otros de su navío. Pasó la primera noche llorando su amarga suerte; pero al 15 salir el sol de la mañana siguiente cogió ánimo y resolvió explorar el sitio adonde el destino le había llevado. Aquella mañana se desayunó con unos cangrejos que cogió en la playa, y como no había manera de hacer fuego, tuvo que comérselos sin asar.

20 Cuando se alejó un poco de la playa, halló tortugas. Comenzó a volver de espaldas todas las que veía para que no se le escaparan. Luego sacó de la cintura el cuchillo que siempre llevaba consigo, cortó la cabeza a una de ellas y, como tenía mucha sed, se bebió la sangre. Mató luego las otras, secó la 25 carne al sol y guardó las conchas para coger agua en ellas cuando lloviera. Algunas de las tortugas eran tan grandes que no tenía bastante fuerza para volverlas de espaldas. Aunque se subía sobre ellas para cansarlas y luego tratar de hacerlas parar, no le aprovechaba nada, porque con él a cuestas entra-30 ban en el mar. Pero el tiempo le enseñó cuáles de las tortugas podría rendir y cuáles no.

[1] See map on page 2.

Cómo Serrano hizo fuego

Serrano, habiendo hallado así la manera de poder comer y beber, pensó que si pudiera sacar fuego para asar la comida y para hacer humo cuando viera pasar algún barco, no le faltaría nada. Con este pensamiento y con la experiencia del hombre que ha viajado mucho por mar, principió a buscar un pedazo de roca que le sirviera de pedernal. No hallando roca en aquella isla, que no era más que arena, entró en el mar y bajando al fondo buscó con mucha diligencia por todas partes. Tantas veces lo hizo que al fin encontró pedazos de roca y sacó los que pudo. De éstos escogió los mejores y los quebró para que tuvieran más ángulos. Luego les dió con su cuchillo de acero. Viendo que sacaba chispas, hizo hilos con un pedazo de la camisa, y después de tratar muchas veces logró hacer fuego.

Serrano se alegró mucho al ver que había hecho fuego, y para mantenerlo empezó a echarle las hierbas que el mar dejaba en la playa. Comenzó también a coger la madera que de los barcos caía en el agua y que las olas traían hasta allí. Para que las lluvias no apagaran el fuego, hizo una choza con las conchas de las tortugas más grandes que había matado. Además lo velaba con grandísimo cuidado.

Dentro de unos meses Serrano quedó desnudo porque la lluvia y el continuo calor de la región le pudrieron las muy pocas y viejas ropas que tenía. El sol con su gran calor le fatigaba mucho. Como no tenía ropas para abrigarse y allí no había bosque ni nada que le diera sombra, su único modo de huir del sol era entrando en el agua del mar para cubrirse con ella. Viviendo tanto tiempo al aire libre es natural que el pelo de todo el cuerpo le creciera tanto que en verdad parecía fiera del monte más que hombre. La barba le llegaba ya hasta las rodillas, y el pelo de la cabeza a la cintura.

El huésped

Así pasó Serrano los primeros tres años. En este tiempo vió pasar algunos navíos, y hacía mucho humo, lo cual en el mar es señal de gente que está perdida. Pero ellos o no le veían o por miedo a los bancos no se atrevían a acercarse a la isla. En vista de ello el pobre hombre quedaba tan triste que más de una vez pensó dejarse morir para acabar con tanto sufrimiento.

Un día, al cabo de los tres años, y cuando menos lo esperaba, Serrano vió otro hombre en la isla. Este hombre se había perdido en aquellas aguas la noche anterior y en una tabla había logrado salvarse. Viendo al amanecer el humo del fuego que Serrano había hecho, se fué a él, esperando hallar allí algo que comer.

Sería difícil saber cuál de los dos hombres quedó más espantado al verse por primera vez. Serrano se imaginó que veía al demonio en forma humana que venía a proponerle algún negocio a cambio de su alma. El otro creyó que el diablo era Serrano, viendo su desnudo cuerpo cubierto de tantos cabellos y su barba tan larga y espesa. Cada uno huyó del otro, y Pedro Serrano principió a decir en voz alta:

— ¡Jesús, Jesús, líbrame del demonio!

Al oír eso el huésped perdió el miedo y acercandose a Serrano exclamó:

— ¡No huyas de mí, hermano, que también soy cristiano como tú!

Y para que Serrano no tuviera miedo, pues todavía huía, empezó a decir el credo. Serrano al oírlo volvió a él, y los dos se abrazaron con muchas lágrimas y grandísimo sentimiento.

Aquel mismo día Serrano y su compañero arreglaron su vida como mejor supieron, dividiendo por mitad sus deberes del día y de la noche. Estos consistían mayormente en buscar que comer y en velar el fuego por horas para que no se apagara. En paz habían empezado a vivir juntos, mas no pasó mucho tiempo sin que riñeran. La causa de la riña parece haber sido que uno dijo al otro que no atendía a sus obligaciones como debía. Esto y las duras palabras que se dijeron los separaron, y comenzaron a vivir aparte. Sin embargo, cayendo en su locura algún tiempo después, se pidieron perdón y volvieron a vivir juntos.

En los cuatro años que siguieron, Serrano y su huésped 5 vieron pasar algunos navíos más. Cuando esto sucedía, hacían el humo de costumbre; pero ahora, como antes, ninguno se acercaba a buscarlos. A fines del próximo año, sin embargo, un navío logró pasar muy cerca de la isla. El capitán, notando el humo que de ella salía, echó un bote al agua y mandó re- 10 coger a los que hubiera allí perdidos.

Serrano y su compañero, viendo el bote, principiaron a decir el credo y a llamar el nombre de Jesús Cristo en alta voz. Temían que de otra manera los marineros al verlos los creyeran demonios y huyeran de ellos. Así fueron llevados al 15 navío. Ya a bordo, ambos hombres admiraron a cuantos los vieron, no sólo por su extraña figura sino también por la relación que hicieron de los trabajos pasados.

El compañero murió en alta mar días después de abandonar la isla; pero Serrano llegó a España sano y salvo. Allí 20 algunos señores principales le ayudaron con dinero para que fuera a Alemania a contar sus aventuras al emperador Carlos Quinto, que entonces estaba en aquellas tierras.[1] Llevaba la barba y el cabello como los tenía en la isla, para que ello sirviera de prueba a los que no creyeran lo que contaba, aunque 25 después de haber hablado con el emperador se los cortó. El emperador, habiendo visto y oído a Serrano, le dió cuatro mil pesos de renta, que son cuatro mil ochocientos ducados en el Perú. Como con esta pensión ya no tendría que trabajar, Serrano resolvió irse al Perú a gozar de los años que le que- 30 daran de vida. Por desgracia no llegó al fin de su viaje, muriendo en Panamá días después de llegar allí.

[1] Charles the Fifth (1500–1558) became king of Spain in 1518 and was elected emperor of the Holy Roman Empire in the following year. His duties as emperor called him to Germany for such momentous occasions as the Diet of Worms, where he met Martin Luther.

Antonio de Pigafetta

EL FAMOSO VIAJE DE MAGALLANES

(1519–1521)

Veinte y siete años después del descubrimiento del Nuevo Mundo, Fernando de Magallanes logró hallar lo que Cristóbal Colón había salido a buscar y nunca pudo encontrar: una ruta occidental que condujera al Oriente. Después de tocar la costa del Brasil junto a Pernambuco, navegó hacia el sur del continente y descubrió por fin el largo estrecho que hoy lleva su nombre. Atravesando luego en diez y seis semanas la vasta anchura del Pacífico, llegó por fin a las islas de las especias. El relato más antiguo y auténtico que de este viaje conocemos es por el veneciano Antonio de Pigafetta, el cual era uno de los miembros de la expedición. Relativamente poco se sabe de su vida, pero a juzgar por el estilo de su relato, debió ser mozo y de espíritu aventurero.

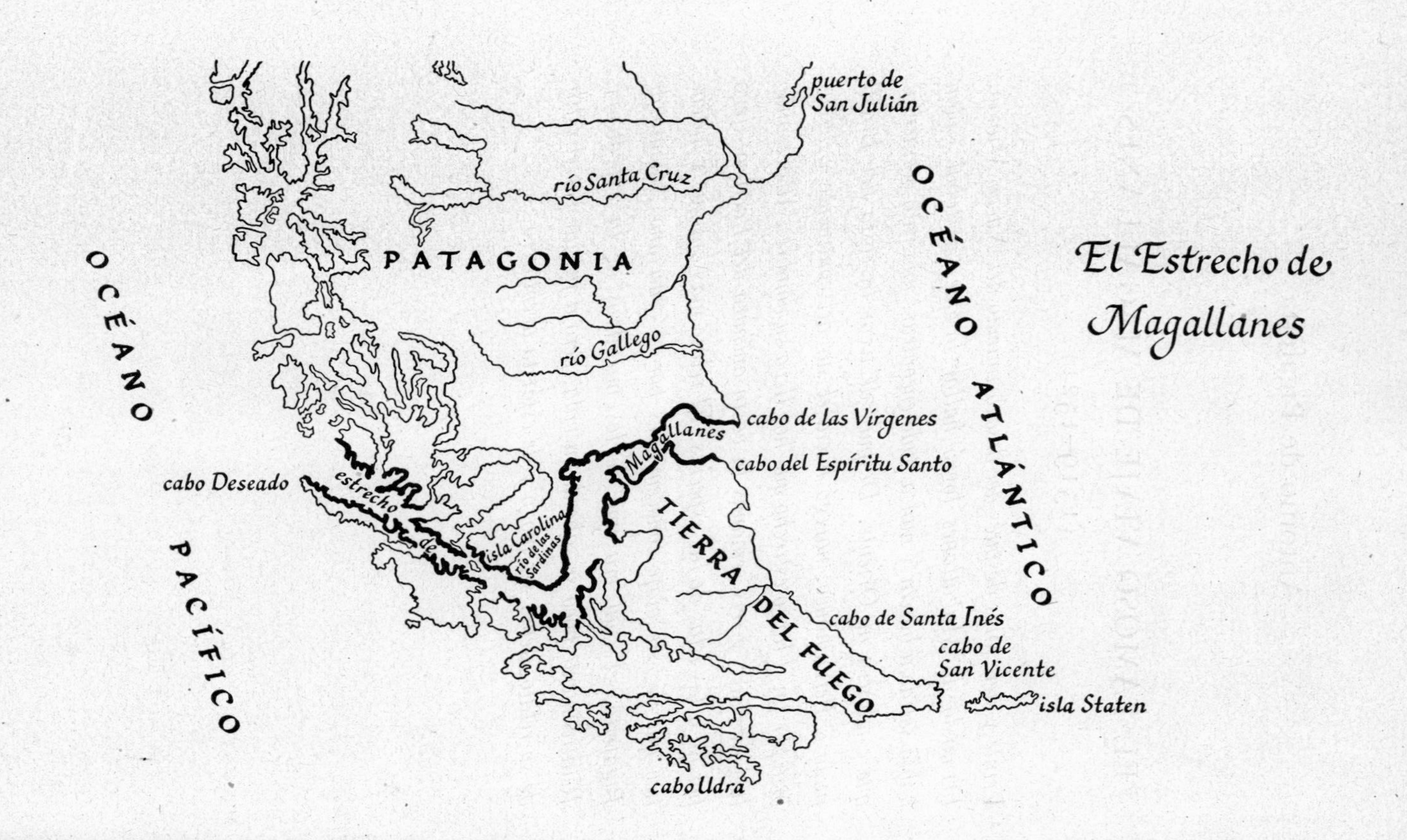
El Estrecho de Magallanes
OCÉANO ATLÁNTICO
OCÉANO PACÍFICO
PATAGONIA
TIERRA DEL FUEGO
puerto de San Julián
río Santa Cruz
río Gallego
cabo de las Vírgenes
cabo del Espíritu Santo
Magallanes
estrecho de
isla Carolina
río de las Sardinas
cabo Deseado
cabo de Santa Inés
cabo de San Vicente
isla Staten
cabo Udra

Ordenes para el viaje

Mientras me hallaba en España en mil quinientos diez y nueve, ciertas personas que traté y algunos libros que leí me revelaron las maravillas del mar océano, y entonces resolví ver tales maravillas con mis propios ojos. En aquel año mismo supe que preparaban en Sevilla una flota de cinco naves para ir a las islas de las especias bajo el capitán general Hernando de Magallanes, caballero portugués [1] que había atravesado muchas veces el mar océano. Sin perder tiempo salí para aquella ciudad con cartas de recomendación para él, a ver si me permitía formar parte de la expedición.

Tres meses después, en la mañana del diez de agosto, embarcábamos doscientos treinta y siete hombres en los navíos *Trinidad*, *San Antonio*, *Santiago*, *Victoria* y *Concepción*. Bajamos primero por el río Guadalquivir hasta que llegamos a Sanlúcar, donde nos detuvimos unos días para coger más provisiones.

Habiendo resuelto hacer tan largo viaje, Magallanes prescribió las siguientes reglas para que durante la noche y durante las tormentas las naves se mantuvieran cerca una de otra. La nao capitana, es decir, la nao *Trinidad*, llevaría un gran farol en la popa para guiar a los otros cuatro navíos. Si alzaba otras dos luces, indicaba que quería ir despacio y que los otros navíos deberían virar; si alzaba tres luces, mandaba que fueran más ligero; cuatro luces serían para bajar todas las velas; más de cuatro luces o un tiro de cañón indicarían tierra o bancos.

Salimos de Sanlúcar el día veinte de septiembre y empezamos a navegar hacia el sudoeste, llegando a Tenerife seis días después. Durante la segunda semana navegamos hacia el sur, pasando primero por las islas de Cabo Verde y luego por la costa de Guinea. Llevábamos a menudo el viento en contra

[1] Magellan, whose real name was Fernão de Magalhães, had assumed Spanish nationality and taken a Spanish name.

y llovía mucho. A veces, cuando había bonanza, parábamos a pescar un rato. En estas aguas cogimos unos peces grandes de afilados dientes. Estos tiburones, que así se llamaban, no son buenos para comer a menos que sean muy pequeños, y 5 ni aun éstos son muy buenos. Durante esta parte del viaje, en una negra noche de tormenta, se nos apareció San Telmo [1] en forma de una luz brillando dos horas enteras, como si fuera una antorcha, sobre un palo de vela. Nosotros al ver esta luz, que se aparece a los que en el mar se hallan en 10 peligro, la reconocimos y nos animamos mucho. Poco después la tempestad cesaba y todo el mar quedaba en calma.

Verzín [2] *y sus habitantes*

Después que hubimos pasado la línea del ecuador, perdimos la estrella polar; pero durante muchos días seguimos con rumbo al sudoeste hasta que llegamos a Verzín. Esta tierra, 15 que es del rey de Portugal, es más rica y grande que España, Italia y Francia juntas. Sus habitantes nos recibieron muy bien, y nos dieron aves en abundancia, carne de tapir, y las frutas más deliciosas que pueden hallarse en el mundo. Por una cosa trivial, como un cuchillo, nos daban media docena 20 de aves; por un espejo, pescado para diez.

Los habitantes de Verzín viven más de cien años. Las casas que construyen son muy largas, las cubren todas de piel, y en ellas cuelgan hamacas que hacen de algodón. En cada casa viven más de cien hombres con sus mujeres e hijos, que hacen 25 mucho ruido. Con sus hachas de piedra hacen de los troncos de los árboles grandes canoas, en cada una de las cuales caben hasta cuarenta y cinco personas. Como no conocen los metales, emplean la piedra como nosotros empleamos el hierro. Se pintan de negro el cuerpo y se hacen tres agujeros en el labio

[1] St. Elmo, patron saint of Mediterranean sailors. St. Elmo's fire is an electrical display sometimes seen during storms on the spar of a ship. It is regarded by seamen as a visible sign of St. Elmo's guardianship, and indicates that the ship will not be wrecked.

[2] Brazil.

inferior en los que cuelgan pequeñas piedras redondas. Se comen la carne de sus víctimas, no porque sea buena, sino porque es costumbre establecida. Creyendo que íbamos a estar con ellos mucho tiempo, empezaron a hacernos una gran casa, y cuando supieron que nos marchábamos, nos trajeron mucho palo brasil.

Pingüinos, focas y gigantes

A las dos semanas abandonamos la hospitalaria tierra de Verzín, y cuando estábamos a treinta y cuatro grados y un tercio de latitud sur, entramos en un anchísimo río que llamamos río *Caníbal*,[1] viendo que allí también los naturales comían carne humana. Antaño se creía que en ésta latitud empezaba el mar del Sur. Fué en este río que se perdieron los sesenta españoles, con su capitán Juan de Solís,[2] que, como nosotros, habían salido a explorar estas regiones.

Continuando nuestro viaje hacia el sur, siempre junto a la costa, llegamos a un lugar en que vimos focas y pingüinos. De éstos había tantos que en una hora llenamos con ellos las bodegas de las naves. Estos pingüinos son negros; viven del mar, y a pesar de tener alas, aunque pequeñas, no vuelan. Las focas son de varios colores, y su cabeza es como la de una ternera. Tienen las orejas pequeñas y redondas, los dientes muy afilados y los pies pegados al cuerpo. No saben correr por tierra, pero nadan y viven de pescado.

Saliendo de este lugar y hallándonos días después a cuarenta y nueve grados y medio de latitud sur, entramos en otro puerto, que llamamos *San Julián*. Era el treinta y uno de marzo, que es el otoño en esta parte del mundo. Aquí pasamos dos meses sin ver señal de gente hasta que una mañana, con gran sorpresa nuestra, vimos en tierra a un gigante que se

[1] The Plata estuary.

[2] Juan de Solís, forerunner of Magellan, was commissioned in 1514 to sail south along the east coast of South America, enter the South Sea, and sail north to Panama. Before accomplishing his purpose he was killed by the Indians of the Plata region in 1516.

acercaba a la playa bailando y cantando y echándose tierra en la cabeza. El capitán general envió un marinero a tierra, diciéndole que hiciera lo mismo que el gigante hacía, a ver si así podía ganar su voluntad. En efecto, el marinero logró 5 hacer venir al gigante a bordo, el cual, ya en presencia nuestra, levantó una mano para indicar que veníamos del cielo.

El gigante era bien proporcionado, pero tan alto que nosotros no le llegábamos a los hombros. Tenía la cara pintada de 10 rojo, los ojos de amarillo y el pelo de blanco. En cada mejilla se había pintado un corazón. Estaba vestido con pieles bien cosidas, y sus enormes pies estaban cubiertos de piel también. En las manos traía un pesado arco y flechas con puntas de piedra. Nosotros le dimos, entre otras cosas, un pequeño es- 15 pejo de acero. Al mirarse en el espejo quedó asustado y dió tal salto que derribó a cuatro marineros. Aquella misma tarde Magallanes le envió a tierra, donde ya le esperaban, haciendo fiesta, otros tan grandes como él.

Estos gigantes son tan ligeros que me parece que no hay 20 caballo que corra tanto como ellos. Cuando bailan, llevan una bolsa de cuero llena de pequeñas piedras. Tres o cuatro de ellos se ponen a un lado y el mismo número al otro lado, y los unos saltan hacia los otros con los brazos abiertos y haciendo sonar las piedras.

25 Al poco tiempo volvimos a ver cuatro de estos gigantes, a quienes habíamos puesto ya el nombre de *patagones*.[1] Cada uno tenía pintado el cuerpo de un color diferente. Valiéndose de un engaño, nuestro capitán logró coger los dos que le parecieron más jóvenes, para presentarlos al rey. Llenó pri- 30 mero las manos de los dos de regalos tales como cuchillos, cascabeles, cuentas y espejos. Les mostró luego dos pares de grillos de hierro, y como ellos no podían cogerlos con las manos, Magallanes señaló a sus pies, y los gigantes, entendiéndole, asintieron. Sin perder tiempo puso entonces los grillos 35 en sus pies; pero tan pronto como los gigantes se vieron los

[1] Because of their large feet (*patas*), which have given Patagonia its name.

pies cogidos y que no podían andar, comenzaron a gritar, «*¡Setebos, Setebos!*»[1] rugiendo como toros bravos. Ahora comprendían el engaño, pero ya era muy tarde.

El motín de San Julián

En este puerto de San Julián sucedieron muchas cosas. Tan pronto como entramos en él, los capitanes de las naves empezaron a conspirar para matar a Magallanes. Este había mandado reducir la ración de todo el mundo, y los oficiales le pidieron que les diera más comida o que se volviera a España. Magallanes contestó que antes que volver a España sin lo que había salido a buscar, prefería morir. Dijo que él seguiría navegando hasta que descubriera el estrecho que seguramente existía por allí, y hasta que llegara a las islas de las especias. Añadió que ellos no tenían razón al quejarse de la comida, pues en San Julián había pescado, agua dulce, caza y leña en abundancia. En cuanto a pan y vino, ni el uno ni el otro les había faltado un solo día.

El día primero de abril, Magallanes mandó desembarcar a todos los oficiales para que juntos oyeran misa en tierra y luego fueran a la nao capitana a comer con él. Alvaro de Mezquita, capitán del *San Antonio*, fué el único que le obedeció. El tesorero Luis de Mendoza y los capitanes Gaspar de Quesada y Juan de Cartagena no fueron. Cuando cayó la noche, estos dos capitanes, con treinta hombres más, fueron a bordo del *San Antonio* y lo capturaron, habiendo caído antes en su poder el *Victoria* y el *Concepción*. En seguida enviaron un mensaje a Magallanes diciéndole que eran dueños de tres naves y añadiendo que le esperaban a bordo del *San Antonio*, donde todos juntos considerarían lo que se debía hacer.

El capitán general, sabiendo que en tales casos la astucia vale más que el valor, determinó usarla. Envió al *San Antonio* al oficial Gonzalo de Espinosa con seis hombres armados y una carta para el tesorero Mendoza. Mientras éste leía la

[1] Caliban in Shakespeare's *Tempest*, who invokes the god Setebos, is thought to have been suggested by the Patagonian giants.

carta, Espinosa le hirió en la garganta, y un marinero le hirió en la cabeza. Mendoza murió al instante, pagando así con la vida su traición al rey. Tan pronto como Magallanes supo la muerte del tesorero, envió quince hombres al *Victoria*, 5 los cuales capturaron el navío y alzaron otra vez la bandera con que había salido de España. Poco después sacaba el *San Antonio* y el *Concepción* de manos de los rebeldes. Magallanes ejecutó a Gaspar de Quesada, creyéndole el jefe de los rebeldes, y dejó abandonados en tierra al capitán Juan de Carta- 10 gena y a un sacerdote que había tomado parte en el motín. Perdonó, sin embargo, a los demás, porque sus servicios eran indispensables y para no mostrar demasiado rigor.

El estrecho de Magallanes

Salimos por fin de San Julián, y cuando estábamos a cincuenta grados y dos tercios de latitud sur, vimos un río a que 15 pusimos el nombre de *Santa Cruz*. Aquí creímos que las naves iban a hundirse, debido a las tormentas, pero San Telmo volvió a aparecérsenos y nos libró de la muerte. Estuvimos dos meses en este sitio, y durante este tiempo llevamos a las naves gran cantidad de agua, pescado y leña.

20 El veinte y uno de octubre, llegamos a un estrecho que llamamos de las *Once Mil Vírgenes*.[1] Magallanes en seguida envió el *San Antonio* y el *Concepción* a explorar el interior, mientras los otros navíos quedaban fuera, donde los cogió una tempestad que duró hasta la noche siguiente. El *San Antonio* 25 y el *Concepción*, huyendo de la tormenta, vieron una boca por la cual entraron y siguieron navegando hasta que llegaron a una hermosa bahía. Muy alegres con lo que habían visto, volvieron al tercer día a dar las nuevas al capitán general.

Dando gracias a Dios, volvimos a salir todos juntos a 30 explorar el estrecho hasta el fin. No lejos de la entrada había

[1] The Strait of Magellan was first given this name because it was sighted on October 21, day of St. Ursula. St. Ursula was the leader of the eleven thousand virgins who, according to legend, left Cornwall in 453 A.D. and settled in Cologne, where they were massacred by Attila the Hun.

no una sino dos gargantas, una al sudeste y la otra al sudoeste. Magallanes mandó entonces que el *San Antonio* y el *Concepción* entraran en la garganta del sudeste; pero el primero, que ya pensaba huir, se fué solo. Su piloto, Esteban Gómez, odiaba a Magallanes y vió en ello la ocasión de abandonarle. 5

Los que estábamos con Magallanes entramos en la garganta del sudoeste y la seguimos, llegando luego a un río que llamamos río de las *Sardinas*. Allí el capitán general envió adelante un bote lleno de hombres. Estos volvieron tres días después a decir que habían visto un gran cabo y el océano Pacífico. 10 El capitán general, al oírlo, lloró de alegría y llamó la altura cabo *Deseado*. Habíamos navegado ciento diez leguas por este estrecho, que a veces tenía sólo media legua de ancho, y a cuyos lados vimos altas montañas cubiertas de nieve.

No teniendo noticias del *San Antonio* y el *Concepción*, ni de 15 la traición del piloto Gómez, principiamos a buscarlos por todas partes. Para que supieran adonde íbamos, Magallanes mandó clavar dos banderas en las cimas de dos montes, dejando allí dos cartas en dos ollas de barro. Clavamos también una cruz en una isla junto a otra bahía en que entramos. 20 Hallamos por fin al *Concepción* pero no al *San Antonio*, que se había marchado a España.

Hambre y sed

Mientras estuvimos en el estrecho, las noches no duraban más que tres horas. En aquel frío pero claro cielo se nos mostró muy luminosa la gran cruz austral de cinco estrellas. 25 El veinte y ocho de noviembre salimos del estrecho y entrando en el Pacífico navegamos cuatro mil leguas durante las diez y seis semanas que siguieron.

Después que salimos del estrecho las provisiones duraron muy poco tiempo, quedando sólo las galletas, que ya no eran 30 más que gusanos. Además del polvo de las maderas, nos comíamos el cuero de los palos de las velas. Como el viento y el sol lo habían puesto tan duro, teníamos que dejarlo en agua una semana antes de poder comerlo. Las ratas eran un lujo, y sólo el que podía pagar medio ducado por cada una las comía. Como si tanto sufrimiento no bastara, el agua del mar comenzó a hinchar la boca a casi todos. Así fué que murieron en poco tiempo diez y nueve hombres, entre ellos el 5 gigante que nos quedaba, habiendo muerto el otro al salir de su tierra. Si no hubiera sido por la gran bonanza con que el cielo nos había favorecido, todos habríamos muerto sin remedio en aquel océano que parecía no tener fin.[1]

[1] Although Magellan himself was killed in the Philippines, his ship, the *Victoria*, returned to Seville in September, 1522, having sailed around the world. The sale of her cargo of cloves paid all the expenses of the expedition.

Bernal Díaz del Castillo

HERNÁN CORTÉS Y EL GRAN MONTEZUMA

(1519–1520)

Bernal Díaz del Castillo vino a América en mil quinientos catorce, cuando era todavía mozo. Estuvo en Panamá, Cuba, la Florida y Yucatán, y durante la conquista de México fué capitán en el ejército de Cortés. Tomó parte en más de cien batallas, y por sus servicios y valor el emperador le dió tierras en lo que es hoy Guatemala. Allí pasó su vejez, escribiendo a los ochenta años de edad su Historia verdadera de la conquista de la Nueva España, *el relato más auténtico y más vívido que existe de la conquista de México. El libro está escrito en el lenguaje del soldado y sin estilo quizá, porque, según el autor, sólo «en decir la verdad consiste el tener buen estilo». Y ¡qué verdades tan hermosas tenía que decir! Entre todos los relatos de la conquista, el del encuentro de Cortés y Montezuma es, sin duda alguna, el más extraño y conmovedor.*

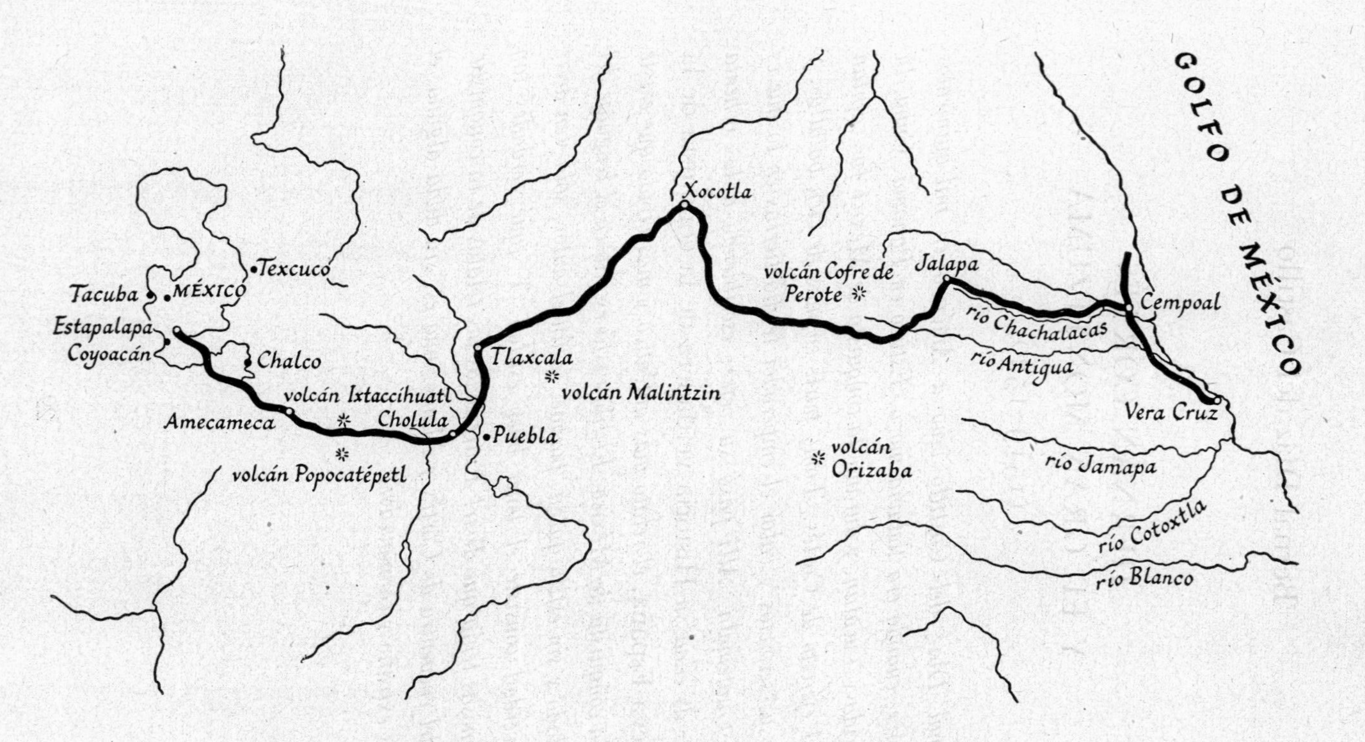

Marcha de Cortés a México

I

Cómo recibió Cortés los mensajeros de Montezuma

En Jueves Santo de mil quinientos diez y nueve llegamos al puerto de Vera Cruz, y poco después vimos dos canoas en que venían algunos indios. Se acercaron a nuestra nave, preguntando quién era nuestro cacique, y nuestra intérprete Marina[1] los condujo a presencia de Cortés. Los indios, después de algunas cortesías, nos dijeron que su señor, el gran Montezuma, los enviaba a averiguar quiénes éramos y qué buscábamos. Cortés mandó primero darles vino y comida; luego les dijo que éramos vasallos de Carlos Quinto, el mayor cacique del mundo. Añadió que éste nos enviaba a ver al gran señor que gobernaba a México para ofrecerle nuestra amistad y decirle muchas cosas en su nombre. A esto el indio de más autoridad respondió con enojo:

— ¡Acabas de llegar, y ya quieres hablar con nuestro señor!

Cumpliendo, sin embargo, con las órdenes que traía, sacó algunas piezas de oro, mandó acercar diez cargas de ropa de algodón más una gran cantidad de aves, frutas y pescado que venían atrás, y nos lo entregó todo. Nuestro capitán se lo agradeció, y envió a Montezuma una hermosa silla, un precioso collar de brillantes, y una gorra roja con adornos de oro. Mirando entonces al indio principal, le dijo:

— Di a tu gran cacique que en esta silla que le envío espero verle sentado cuando yo vaya a verle.

Los mensajeros habían traído consigo algunos pintores, los cuales comenzaron a hacer en un gran paño de henequén un retrato de Cortés con todos sus capitanes, naves y caballos. Al ver esto, Cortés mandó que algunos españoles montaran a

[1] Marina was the daughter of a Maya chief. She had been sold as a slave after her father's death and was presented to Cortés. She was invaluable to him not only because she knew the languages of the Mayas and Aztecs but because of her expert advice and ready wit. She became a Christian, and Cortés married her to one of his officers. She died in Spain.

caballo para que los indios los vieran correr. Dando entonces el mando de los que iban a caballo a Pedro de Alvarado, dió orden que fueran a otra parte de la playa donde la arena no fuera tan honda y donde pudieran correr mejor. También mandó que la artillería hiciera fuego. El ruido que las piezas hacían asustó mucho a los mensajeros; sin embargo permanecieron allí hasta que los artistas habían terminado de pintar todas las novedades que veían.

Cuando Montezuma vió los paños pintados por sus artistas y el regalo que Cortés le enviaba, quedó maravillado. Entonces fué que los mexicanos empezaron a llamarnos *teules*, palabra que significa o «dioses» o «demonios.»

Mirando a México desde el Popocatépetl

Más tarde, cuando tras larga lucha logramos vencer al enemigo en los campos de Tlaxcala, voló nuestra fama por todas aquellas tierras. Después de nuestro triunfo Montezuma envió cinco mensajeros a Tlaxcala con otras cargas de la mejor ropa que tenía y algunas joyas. Además se declaraba vasallo nuestro, prometiendo enviarnos cada año lo que quisiéramos si no íbamos a su capital.

Cuando los mensajeros de Montezuma se marcharon, Cortés habló con los caciques de Tlaxcala acerca de las cosas de México.[1] Xicotengo, que era el más inteligente, le dijo que cuando Montezuma salía a tomar una gran ciudad, su ejército no bajaba de ciento cincuenta mil hombres, y que en todas sus provincias mantenía cuerpos de miles de soldados. Añadió que las provincias le tributaban dinero, provisiones, ropa, y hasta hombres y mujeres para sacrificar.

— Tan gran señor es Montezuma — le decía Xicotengo a Cortés — que siempre consigue todo lo que quiere.

Luego empezó a hablar de la ciudad de México, de la gran laguna en que se hallaba, y de las cuatro calzadas que conducían a ella. Le describió los puentes de madera que unían

[1] The *tlaxcaltecas*, after being defeated by Cortés, became his allies. Without their help, his conquest of Mexico would probably have been impossible.

las tres partes de cada calzada, y le explicó cómo, al alzarse cualquiera de ellos, se quedaban entre puente y puente los que querían entrar en la ciudad o salir de ella. Acabó su relación explicándole cómo no se podía pasar de una casa de la ciudad a otra sino por ciertos puentes. Luego otros indios 5 le trajeron a Cortés pintadas en grandes paños de henequén las batallas que con los soldados de Montezuma habían librado los de Tlaxcala, y le explicaron el modo de pelear de aquéllos.

Notando que por aquellos días el volcán Popocatépetl echaba mucho fuego, el capitán Diego Ordaz pidió y obtuvo 10 permiso para subir a la boca. Además de dos soldados españoles, le acompañaban algunos indios; pero éstos, al sentir que la tierra temblaba, se quedaron atrás. Los españoles aun no habían llegado a la parte más alta cuando el volcán comenzó a echar lenguas de fuego, piedras encendidas y grandes 15 cantidades de ceniza. Los tres se detuvieron un buen rato, y cuando todo hubo pasado, continuaron subiendo hasta que llegaron a la boca. Desde allí se veía la hermosa ciudad de México, la gran laguna y los otros pueblos que están en sus orillas. 20

Al volver al real Ordaz describió a nuestro jefe punto por punto lo que había visto. Después de oír su relación Cortés llamó a los oficiales a consejo, y aunque algunos no querían marchar a la capital porque éramos pocos, él contestó que estaba resuelto a seguir adelante. La mañana siguiente em- 25 pezó la marcha, y al ponerse el sol paramos junto a un río que pasa cerca del pueblo de Cholula.

La traición de Cholula

Aquella misma noche llegaron mensajeros de Cholula con aves y pan de maíz para nosotros, y cuando amaneció los caciques del pueblo salieron a recibirnos. En honor a nuestro 30 jefe algunos indios principiaron a perfumar el aire, quemando una cosa que olía como nuestro incienso.[1] Estos indios miraban

[1] Probably copal, a hard, transparent resin collected from various tropical trees.

a nuestros caballos con el mismo respeto con que nos miraban a nosotros, pues no habían visto caballos antes. Una vez dentro del pueblo nos llevaron a unas salas muy grandes donde nos dieron una buena comida.

5 Durante los primeros días todo marchó muy bien, pero luego los indios, sin darnos razón ninguna, dejaron de visitarnos y de traernos provisiones. Los pocos hombres que veíamos estaban apartados y enojados. En vista de esto Cortés nos mandó juntar y nos dijo:

10 — Muy extraña veo a esta gente; estemos sobre aviso, que alguna traición hay entre ellos.

Toda aquella noche estuvimos despiertos para evitar que nos cogieran de sorpresa. Mientras velábamos, una india vieja vino en secreto a casa de Marina. Aconsejó a la mu-15 chacha que se fuera con ella si no quería perder la vida, explicándole cómo aquella noche, por orden de Montezuma, moriríamos todos los españoles. Añadió que algunos soldados de Montezuma estaban en unas casas junto a Cholula, y que otros estaban ya dentro del pueblo. Las calles del pueblo 20 estaban llenas de zanjas hechas para que nuestros caballos cayeran en ellas, y hasta cuerdas había en ciertos lugares para atarnos y llevarnos cautivos a la capital. La vieja terminó rogando a Marina que se fuera con ella a su casa, prometiendo que allí la casaría con su hijo. La muchacha, después 25 de oír esto, le dijo:

— ¡Cuánto me alegro de saber que quieres casarme con tu hijo! Aguarda aquí, madre, que voy a traer mi ropa y lo demás que tengo, y entonces podremos irnos.

La joven corrió al instante adonde estaba Cortés y se lo 30 contó todo. Nuestro capitán mandó que le trajeran la vieja, y después de preguntarle algunas cosas le puso guardas para que no huyera.

Cuando amaneció, los indios de Cholula andaban muy contentos, como si ya nos tuvieran cogidos. Nosotros, que 35 estábamos advertidos sobre lo que se debía hacer, no sentíamos temor alguno. Cortés estaba a caballo acompañado de los soldados de su guarda. Viendo a los de Cholula en pie tan temprano y sabiendo lo que iban a hacer, les gritó:

— ¿Por qué queréis matarnos? ¿Os hemos hecho mal alguno?

Al oír esto algunos le respondieron que ellos no tenían la culpa, pues Montezuma lo había ordenado así; pero Cortés les advirtió que tal traición no podía quedar sin castigo, y mandó al instante hacer fuego. Horas después de empezar la batalla la ganamos, perdiendo el enemigo más de tres mil hombres. Más tarde llegaron nuestros amigos de Tlaxcala, y como eran enemigos de los de Cholula, querían matarlos a todos; pero nosotros los detuvimos.

La marcha a la capital

Los guerreros que Montezuma había enviado a Cholula no tardaron en contarle lo que había sucedido. Entonces él sacrificó algunos indios a Vichilobos, dios de la guerra, para que le dijera si debía dejarnos entrar en su ciudad. Dos días estuvo encerrado haciendo sus sacrificios, al fin de los cuales el dios le aconsejó que enviara mensajeros a decirnos que sentía lo de Cholula y que nos permitía entrar. Esto agradó a Montezuma, pues sabía que cuando estuviéramos dentro de su ciudad, sólo tenía que quitarnos la comida o alzar un puente para vencernos. Aquella misma tarde entraban en el real, con un gran regalo, seis mensajeros suyos, los cuales al llegar ante Cortés besaron la tierra y con gran respeto le dijeron:

— *Malinche*,[1] nuestro señor el gran Montezuma te envía este presente y te ruega que perdones lo sucedido en Cholula. También te ofrece su amistad y espera que irás a verle, pues él quiere honrarte.

Todos nos alegramos al oír aquellas palabras, y Cortés, aprovechando la ocasión, mandó prepararlo todo para salir en seguida. Los caciques de Tlaxcala se empeñaban en darnos

[1] *Malinche*, Aztec name for "Marina," also means "Marina's captain" and was commonly applied to Cortés.

diez mil hombres, pero Cortés les dijo que no era justo entrar en una ciudad pacífica con tantos guerreros, sobre todo cuando los de Tlaxcala eran enemigos de los mexicanos. Aceptó, sin embargo, un cuerpo de mil hombres para que le ayudaran a llevar la artillería y a reparar los caminos.

Salieron primero nuestros corredores de campo a explorar el terreno. Seguían a los corredores los oficiales a caballo, de tres en tres, y luego los soldados que iban a pie. La tarde de aquel día nos detuvimos en unas casas que estaban a cuatro leguas al oeste de Cholula, y allí se reunieron ciertos caciques que eran amigos de los de Tlaxcala. Estos advirtieron a Cortés que no siguiera adelante; pero viendo que todo consejo era inútil, comenzaron a describirle los dos caminos que conducían a la capital.

Uno de estos caminos Montezuma había mandado limpiar con cuidado; en el otro había mandado poner troncos de árboles para que ni caballos ni hombres pudieran pasar por él. En cierto lugar de la sierra, frente al camino limpio, que él creía que tomaríamos, había cortado un pedazo de montaña y mandado construir unos muros. Allí había dejado soldados en buen número para que nos cogieran de sorpresa. Los caciques nos aconsejaban que no fuéramos por el camino limpio sino por el otro, y nos decían que ellos sacarían los troncos de árboles y demás obstáculos que hubiera en él.

La mañana siguiente comenzamos a marchar y a mediodía llegamos al punto de la sierra desde donde vimos ambos caminos. Entonces Cortés llamó a los mensajeros de Montezuma que iban con nosotros y les preguntó por qué uno de los caminos estaba limpio y el otro no. Ellos le respondieron que el camino limpio era el que debiéramos tomar, porque pasaba por la ciudad de Chalco, donde nos esperaban para darnos una fiesta. En cuanto al otro camino, le dijeron que como en él había muchos malos pasos, Montezuma había mandado cerrarlo. Sin embargo Cortés, siguiendo el consejo de los caciques, escogió el camino cerrado.

Cuando Montezuma supo que nos acercábamos, aunque

por otro camino, resolvió enviar a su sobrino Catamatzín, señor de Texcuco, a darnos la bienvenida. Venía en unas andas traídas por ocho indios principales. Estos, al llegar cerca de donde estaba Cortés, ayudaron a Catamatzín a salir de las andas y le limpiaron el suelo por donde había de pasar. 5
Catamatzín, al hallarse frente a Cortés, le dijo:

— *Malinche*, aquí venimos yo y estos señores a servirte y a darte todo lo que necesites, porque así es mandado por nuestro señor Montezuma.

Al otro día por la mañana llegamos al pueblo de Estapalapa, junto a la laguna. Al ver tantos pueblos en agua y tierra y la magnífica calzada que conducía a la capital, nos quedamos admirados, y aun algunos de nuestros soldados se preguntaban que si aquello que veían era en sueños. Torres y templos salían del agua como por encanto. Los palacios de Estapalapa, donde descansamos, eran de fina piedra color rosa y de madera de cedro. Tenían patios grandes y frescos y huertos en que había árboles de todos géneros. No me cansaba de ver su diversidad y de aspirar sus olores. En estos huertos vimos estanques de agua dulce hechos a mano en los que entraban las canoas desde la laguna. ¿Es extraño, pues, que nos pareciera a todos haber llegado a aquellas tierras encantadas de que habla el lindo libro de *Amadís*?[1]

II

Cómo nos recibió Montezuma

La mañana siguiente partimos de Estapalapa, marchando siempre por la ancha calzada que va derecho a la capital. Al llegar al primer puente, vimos el espectáculo sorprendente de la gran laguna, llena de canoas que iban y venían sin cesar. A poco llegaron otros mensajeros, los cuales princi-

[1] *Amadís de Gaula*, the finest of the romances of chivalry, was published by Garci Rodríguez de Montalvo in 1508. It is not surprising that the conquistadores should have related the fantastic scenes and adventures of America to the romances of chivalry, which were the best sellers of the day. California owes its name to a sequel of *Amadís*, *Las sergas de Esplandián*, which describes a fabulous island, called "California," inhabited only by women.

piaron a besar la tierra para mostrar que venían de paz. Estos se apartaron luego para ir a traer a Montezuma, que ya estaba cerca. Cuando llegamos a unas torres que estaban a la entrada de la ciudad, el gran cacique salió de las andas
5 en que venía y, con dos señores a cada lado, entró bajo un palio hecho de plumas verdes y con riquísimos adornos de oro, plata y preciosas piedras. Además de los que sostenían el palio, otros iban delante limpiando el suelo y poniendo mantas para que sus pies no tocaran la tierra. Estos señores
10 no le miraban a la cara, y caminaban siempre con los ojos bajos.

Cortés, al ver que Montezuma se acercaba, bajó del caballo, y por medio de Marina le dijo que se honraba mucho con su visita. Sacó entonces un precioso collar, que le echó al cuello,
15 e iba a abrazarle, pero los señores mexicanos le detuvieron el brazo. Después de esto Montezuma mandó que cuatro indios principales entraran en la ciudad con nosotros a buscarnos casas en que quedarnos, mientras él se volvía a sus palacios.

Por fin entramos en la ciudad. Tal era la multitud de
20 hombres, mujeres y muchachos que estaba en las calles, encima de las casas y en las canoas, que parecía que la ciudad entera había salido a vernos. Ahora que estoy describiéndolo se me presenta todo tan claro delante de los ojos que me parece que fué ayer que sucedió.

25 Nos condujeron por fin a una gran casa que había sido del padre de Montezuma y en que éste tenía sus ídolos. Cuando luego entramos en el patio llegó Montezuma, y después de echar al cuello a Cortés un collar de oro, le tomó la mano y le mostró la habitación donde había de dormir.

30 — *Malinche*, en tu casa quedas; descansa — le dijo, retirándose luego a sus palacios.

Grandeza de Montezuma y de su ciudad

Tendría Montezuma entonces unos cuarenta años de edad, y era de buen cuerpo y bien proporcionado. Era de color moreno claro; tenía la barba casi negra y el pelo bastante largo. A menudo mostraba en la mirada amor, y cuando era necesario, gravedad. Era persona muy limpia, y se bañaba todos los días por la tarde. Mantenía más de doscientos hombres principales en su guarda de honor, y cuando iban a hablarle todos se quitaban los ricos abrigos que llevaban y se ponían otros humildes. Llegaban a su presencia siempre con pies desnudos, sin levantar los ojos del suelo, y diciendo, «Señor, mi señor, mi gran señor.» No le volvían la espalda al marcharse hasta que se hallaban fuera de la sala.

Tenía Montezuma dos palacios en los que guardaba cuantos objetos de caza y guerra conocía, y junto a ellos una casa de aves en la que tenía desde los pájaros más grandes hasta los más pequeños. Eran tantas las aves de linda pluma que allí vi que si yo fuera a describirlas una por una no acabaría nunca. En un estanque de la misma casa vi unas aves de pies muy altos y colorado todo el cuerpo.[1] No muy lejos estaba otra casa en que había tigres y leones. Estos se alimentaban con carne de otros animales y también con los cuerpos de los indios sacrificados. Vi allí también serpientes de cascabel. Estas, creo yo, son las peores de todas, y las tenían en unas enormes vasijas con plumas en el fondo, en que ponían sus huevos y criaban sus viboreznos. Cuando los tigres y leones comenzaban a rugir, y las serpientes a silbar, aquel lugar parecía el infierno.

Cómo salimos a ver la plaza y el templo

Cuando hacía algunos días que estábamos en la ciudad, como no habíamos salido a pasear, Cortés creyó que sería bueno visitar la plaza mayor y luego subir al templo de Vichilobos.[2] Montezuma, temiendo sin duda que hiciéramos daño a sus dioses, resolvió ir él también. Antes de llegar al templo abandonó las andas en que venía, y con dos señores a cada lado empezó a subir.

[1] Flamingos.

[2] Aztec temples were built on the tops of pyramids and reached by stone stairways.

Nosotros, al llegar a la gran plaza, quedamos maravillados al ver la multitud que la llenaba y la variedad de cosas que se veían en ella. No exagero cuando digo que las voces del pueblo allí reunido se oían a una legua de distancia. Las 5 mercancías aparecían arregladas por géneros, de la misma manera que en mi tierra. Allí vi puestos de oro, plata, preciosas piedras y plumas; puestos en que vendían artículos de henequén, de algodón y de cuero de tigres, leones y otros animales. Los puestos más frecuentados eran los de maíz, 10 hierbas, calabazas, frijoles, legumbres, miel y otras cosas dulces.

Por fin nos dirigimos al templo, que estaba en la plaza misma. Desde arriba Montezuma había mandado bajar seis de los suyos para que ayudaran a Cortés, pero él prefirió 15 subir solo. Una vez arriba vimos allí unas enormes piedras donde ponían a los infelices indios que iban a sacrificar. Montezuma había salido del interior del templo y mirando a nuestro jefe le dijo:

— Cansado estarás, *Malinche*, después de haber subido 20 tanto.

A esto respondió Cortés que ni él ni ninguno de los suyos se cansaba nunca. Entonces Montezuma le tomó la mano y le dijo que desde allí podría verlo todo mejor que desde ningún otro lugar. En efecto, desde la altura de aquel templo 25 vimos a la vez la capital, las cuatro anchas calzadas que conducen a ella y los puentes que hay para ir de una casa a otra. Visto todo aquello Cortés le dijo a Montezuma:

— Gran señor sois,[1] y en verdad nos hemos alegrado mucho de ver vuestra gran ciudad. Ahora os ruego, ya que estamos 30 aquí, que nos mostréis los dioses de este templo.

Montezuma no contestó en seguida. Entró a hablar con sus consejeros, y saliendo poco después nos condujo a una pequeña torre donde había dos ídolos de grandes cuerpos y muy feos, cada uno en un altar. El ídolo que estaba a mano

[1] The second personal plural with *vos* was used for the singular in formal address.

derecha, en el primer altar, era Vichilobos. Su rostro era muy ancho y sus ojos daban miedo. En una mano llevaba un arco y flechas en la otra. Desde su altar, en que había mucha sangre y tres corazones de indios sacrificados, subía el humo de un perfume parecido a nuestro incienso. Cortés, movido a 5 compasión, dijo entonces a Montezuma:

— Señor, no puedo comprender cómo, siendo tan sabio, no veis que esos ídolos no son dioses sino diablos. Para probarlo, permitidme poner en esta torre una cruz y una imagen de Nuestra Señora. En seguida veréis caer al suelo esos dioses 10 que os tienen engañado.

A estas palabras Montezuma respondió con enojo:

— *Malinche*, si yo hubiera sabido que ibas a decir tal cosa, no te habría mostrado mis dioses; te ruego que no digas otra palabra en daño suyo. 15

Cortés no dijo más, y como era tarde se preparó para bajar. Montezuma, sin embargo, resolvió quedarse arriba para pedir a sus dioses que le perdonaran el pecado que había cometido al permitirnos entrar en el templo. Dejándole dentro, nosotros principiamos a bajar la altísima escalera de 20 piedra, y como poco antes la habíamos subido, yo sentí mucho dolor en las piernas a la hora de acostarme.

Cómo hallamos el tesoro

Como Montezuma no permitió que pusiéramos la cruz en el templo, resolvimos hacer un altar dentro de la misma casa en que vivíamos. Cortés, antes de empezar a hacerlo, envió 25 a Montezuma tres mensajeros, entre los cuales estaba su paje Orteguilla, a pedirle el permiso. Montezuma se lo dió y hasta le envió gente para ayudarle en la obra.

Apenas comenzamos a levantar el altar cuando vimos que en la pared había una puerta secreta. Como se decía que en 30 aquella casa Montezuma guardaba el tesoro de su padre, sospechamos en seguida que estaba detrás de aquella puerta. Sin perder tiempo la abrimos, y en efecto allí se hallaba el

tesoro. Yo, que entonces era muchacho, pensé que en ninguna parte del mundo podría haber tantas riquezas como las que allí estaba viendo. A pesar de la gran tentación que era aquel tesoro, no lo tocamos, y dejamos la puerta como la
5 habíamos hallado.

Cómo prendimos a Montezuma

Días después de este suceso nos acercamos a Cortés diez y seis oficiales y soldados y le rogamos que considerara el peligro que estábamos corriendo mientras estuviéramos dentro de aquella ciudad. Le suplicamos que prendiera a Monte-
10 zuma y que no confiara más en él, porque hoy o mañana podría alzar uno de los puentes o no darnos más comida, y entonces ¿qué podríamos hacer nosotros?

—No creáis que duermo, caballeros, —nos contestó Cortés. —Sé que tenéis razón, pero no tenemos bastante
15 gente para hacer lo que me pedís.

A esto respondimos que de los dos peligros en que estábamos el menor era prender a Montezuma, y que si nos daba permiso, nosotros mismos lo haríamos.

La mañana próxima llegó a Cortés una carta de Vera Cruz
20 que decía que un oficial y otros seis soldados habían muerto a manos de los mexicanos. La carta le informaba también que en los pueblos de la sierra ya nadie obedecía a los españoles y que hasta se negaban a darles comida. ¡Bien sabe el Señor el dolor que sentimos al recibir tales noticias! Antes todos nos
25 creían dioses, y ahora ni siquiera querían darnos comida. Viendo que las cosas iban de mal en peor y que no debíamos perder más tiempo, decidimos aquel mismo día prender a Montezuma.

Acompañaron a Cortés dos intérpretes y seis oficiales, entre
30 los cuales estaba yo. Mandando primero que estuviéramos en guardia y con los caballos listos, entró luego en el palacio de Montezuma y le dijo:

—Señor, mucho me ha sorprendido saber ahora la traición de los vuestros en Vera Cruz, como antes en Cholula.

Como si eso no bastara, vuestros capitanes se reúnen en secreto y buscan la manera de acabar con nosotros. Es necesario, pues, que para la seguridad de todos vengáis a mi casa.

Cuando Montezuma oyó estas palabras contestó con gran enojo que él no había mandado tomar armas contra nadie, 5 y que en cuanto a salir de su palacio, tal no era su voluntad. Entonces los demás oficiales españoles, temiendo que Cortés cambiara de opinión, se acercaron y le dijeron:

— ¿Qué hace nuestro capitán con tantas palabras? O Montezuma consiente en ir con nosotros o le matamos aquí 10 mismo.

Montezuma, notando nuestro enojo, preguntó a Marina qué significaba todo aquello, y la chica le contestó:

— Señor, mi consejo es que vayáis con ellos a su palacio, sin hacer ruido ninguno. Los españoles os honrarán, como 15 gran señor que sois; pero si no lo hacéis así, aquí mismo moriréis.

Montezuma al fin consintió en ello y nosotros le condujimos a nuestro palacio, donde le pusimos guardas. Allí vinieron a verle todos los caciques a saber por qué le habíamos prendido 20 y si mandaba que nos hicieran guerra. El les decía a todos que quería estar algunos días con nosotros, y que mientras tanto no se alzara la ciudad.

Nosotros servíamos a Montezuma como a rey que era, tratando de satisfacer siempre hasta sus caprichos más 25 insignificantes. Cortés no le negaba nada, y hasta le envió a su propio paje Orteguilla para que le sirviera. También le permitió tener su propia guarda de honor, compuesta de veinte indios principales y otros veinte capitanes, guarda que jamás le abandonaba. 30

Cómo Cortés complacía a Montezuma

Para que Montezuma no se sintiera solo, Cortés iba a verle todos los días, y después de preguntarle cómo estaba y en qué podría servirle, se ponía a jugar al *totoloque* con él. Para este juego usaban unas pequeñas piezas de oro, que tiraban algo lejos. Después de tirar cinco veces ganaban o perdían unas joyas que tenían para el juego. Si ganaba Cortés, daba las joyas a los que servían a Montezuma, y si éste ganaba, nos las daba a nosotros.

5 Por aquellos días llegaron a la ciudad unas cadenas de hierro que Cortés había mandado traer de Vera Cruz para dos naves que había hecho. Ya en el agua ambas naves, Montezuma con sus caciques las ocupó para ir a cazar a un monte que estaba en la laguna. Sus criados tuvieron que ir en 10 canoas porque no había sitio para ellos en las naves. Como Cortés quería alegrar a Montezuma, mandó poner las velas de tal modo que las naves iban muy ligero, dejando atrás a las canoas en muy poco tiempo. Esto alegró mucho a Montezuma, el cual decía que las velas eran como alas de pájaro. 15 Llegamos al monte, donde él cazó todo lo que quiso, y antes de ponerse el sol volvíamos a la ciudad.

Una mañana, mientras algunos de nosotros hablábamos con Montezuma, vimos que un gran pájaro caía sobre otro más pequeño que en el patio estaba. Al ver con qué arte aquella 20 ave bajaba y se llevaba la otra, uno de nuestros oficiales dijo:

— ¡Qué lindo pájaro y qué bien vuela!

Montezuma, queriendo saber lo que decíamos, pidió a Orteguilla que se lo tradujera, y al saber lo que habíamos dicho, exclamó:

25 — Yo mandaré ahora mismo que me traigan ese pájaro para ponerlo en vuestras manos.

Antes de terminar el día los que habían salido a cazar el ave nos la traían viva.

III

Cómo los caciques juraron y dieron tributo al rey

Viendo que todo andaba bien, Cortés decidió hablar a 30 Montezuma del tributo, diciéndole que sería bueno también jurar obediencia al rey, porque tal era la costumbre. Montezuma le respondió que juntaría sus vasallos y les hablaría de ello. En diez días juntó a los caciques de la tierra, con la excepción de su pariente más cercano, el cual heredaba el reino de México por derecho natural. Su ausencia enfadó a Montezuma, el cual envió luego algunos oficiales a capturarle; pero él, teniendo noticia de ello, se metió en su provincia, de donde nunca pudieron sacarle. 5

En el consejo que tuvo Montezuma con los caciques les dijo que desde años atrás sabía que de donde sale el sol vendrían hombres de otra raza a conquistar su reino. Añadió que, por lo que sus dioses le habían dicho, nosotros éramos esos hombres y que por eso mandaba que juraran obediencia 10 al rey de Castilla. Al oír esto todos los caciques le respondieron que harían lo que mandaba.

Entonces Cortés, viendo que en muchas partes de México había grandes riquezas, dijo a Montezuma que no sólo él sino también los demás caciques deberían dar tributo al rey. 15 Poco después Montezuma recibía de sus caciques una gran suma, y presentándola a Cortés le dijo:

—Vengo a decirte, *Malinche*, que obedezco a tu gran rey y que le tengo buena voluntad. Mándale este oro que me han enviado los pueblos. Además yo tengo separado para él todo 20 el tesoro de mi padre que, como sabes, no es poco. Cuando se lo envíes, dile en tus cartas: «Esto te envía tu buen vasallo Montezuma.»

Mandó entonces que nos trajeran el tesoro de su padre, y al pesarlo vimos que valía más de medio millón de duros, sin 25 contar la plata y las joyas. Cortés separó de esa cantidad lo que la expedición había costado, más un quinto para él y otro quinto para el rey.[1] El resto, que no era mucho, quedaba para nosotros.

Cómo Narváez llegó a México para prender a Cortés

Cuando Diego Velázquez, gobernador de Cuba,[2] supo que 30 habíamos dividido el oro hallado en México entre el rey y

[1] By law, a fifth of everything taken was reserved for the king.

[2] Velázquez was responsible for Cortés' expedition to Mexico. Fearing at the last moment that Cortés might prove too independent, he revoked his commission, but Cortés disregarded his orders to return, and was soon beyond recall.

nosotros y que nada habíamos separado para él, se enfadó mucho y resolvió castigarnos. Construyó diez y nueve naves; puso en ellas mil cuatrocientos soldados; y nombró capitán general a Pánfilo de Narváez. Algún tiempo después las naves 5 llegaban al puerto de Vera Cruz. Montezuma, que averiguó en seguida la llegada de la expedición, envió mensajeros secretos a Narváez. Este les dijo que nosotros éramos malas gentes y que el rey le enviaba a prendernos. Cuando ya hacía unos cuatro días que Pánfilo de Narváez estaba allí, 10 Montezuma, sospechando que Cortés lo sabía también, le dijo:

— *Malinche*, ahora han llegado mensajeros a decirme que en el puerto donde desembarcaste hay otras naves con mucha gente y caballos. Mis vasallos de Vera Cruz me lo han traído pintado en unos paños, y como me visitaste hoy dos veces, 15 creí que venías a decírmelo.

Cuando Cortés oyó la noticia y vió las naves pintadas en los paños, no supo qué responder. Demasiado bien sabía que aquella expedición era enviada por el gobernador Velázquez para cogerle. Sin perder más tiempo dejó solo a Montezuma 20 y llamándonos a todos nos dijo lo que iba a hacer, prometiendo hacer ricos a cuantos le siguieran. Su plan era dejar a Pedro de Alvarado en la capital para guardarla mientras que él, con la mayor parte de los soldados, salía en busca de Narváez.

Cuando todo estaba listo principiamos a marchar hacia el 25 real de Narváez, que estaba en Cempoal. Marchando a paso largo, hicimos la jornada en poco tiempo. Al saber que estábamos cerca, Narváez mandó tener lista toda su artillería. Luego puso corredores junto al río que nos separaba de Cempoal, y envió cuarenta soldados a caballo al camino por 30 donde habríamos de entrar.

Esa noche salimos, sin tocar tambores y con nuestros corredores a la cabeza para que primero exploraran el terreno. Cuando cruzamos el río, sorprendimos a los corredores del enemigo y hasta cogimos uno de ellos, pero los otros se fueron 35 gritando: «¡Al arma, al arma, que viene Cortés!»

Una vez en Cempoal nuestro capitán Sandoval subió a un

templo desde el cual el enemigo nos hería la gente sin cesar con las flechas que arrojaba. Nosotros, después de tomar la artillería enemiga, corrimos a ayudar a Sandoval, a quien vimos saltar la escalera del templo, perseguido por los de Narváez. De repente, en medio de la lucha, oímos que Narváez gritaba: 5

— ¡Santa María, me han sacado un ojo!

Nosotros, oyendo esto y viendo que el templo ardía, exclamamos:

— ¡Victoria, victoria! ¡Viva el rey, viva Cortés! 10

Sacamos a Narváez, que estaba dentro, prendimos a sus capitanes, y quitamos las armas a todos sus soldados.

Pocas horas después de nuestra victoria nos llegó una noticia que nos puso muy tristes. La capital se había alzado, y los indios habían rodeado el palacio de Alvarado. Ese mismo día 15 llegaron también cuatro mensajeros de Montezuma a decir que por culpa de Alvarado sus vasallos habían tenido que matar a seis españoles. Cortés, muy preocupado, mandó decir a Montezuma y a Alvarado que pronto estaríamos con ellos.

Cómo murió Montezuma

Al saberse en Vera Cruz que Alvarado estaba en peligro, Cortés rogó a los de Narváez que olvidaran lo pasado y le 20 siguieran, ofreciendo hacerlos ricos a todos. Tanto les prometió que todos decidieron ir con él. El veinte y cuatro de junio del año mil quinientos veinte entrábamos por segunda vez en la capital; pero ahora no había gente en las calles, y hasta las casas parecían estar vacías. Cuando por fin entramos 25 en el palacio en que habíamos vivido antes, Montezuma salió al patio a recibir a Cortés; pero éste le habló con frases duras y Montezuma volvió a su habitación muy triste.

No había pasado una hora cuando llegó un soldado nuestro gravemente herido diciendo que todo el pueblo de Tacuba y 30 la calzada por donde había venido estaban llenos de guerreros. Cortés mandó en seguida que Diego Ordaz con cuatrocientos hombres fuera a Tacuba, pero apenas estaba a mitad de camino cuando le salieron tantos guerreros que no pudo seguir adelante. Otros en la capital misma arrojaban tantas piedras con sus hondas y tantas flechas con sus arcos que nos hirieron buen número de soldados, de los cuales murieron 5 doce. Algunos hasta se atrevieron a entrar en nuestras habitaciones a quemarlas. Nosotros, sin embargo, después de luchar largo rato con el fuego, logramos apagarlo.

Pasamos toda aquella noche curando los heridos, reparando el daño que el enemigo había hecho, y preparándonos para 10 el otro día. Al amanecer Cortés mandó que saliéramos al campo. Todos empezamos a luchar con ánimo, pero los mexicanos eran tantos que nuestra resistencia resultaba inútil. Viendo que era imposible vencerlos, Cortés mandó decir a Montezuma que hablara a los rebeldes y les dijera que si 15 paraban la batalla, los españoles se marcharían de México. Cuando el mensajero hubo dicho esto a Montezuma, éste le respondió:

—¿Qué quiere de mí *Malinche?* Yo ya no deseo oírle ni vivir, pues en tal estado por su culpa me veo.

20 Entonces fué un sacerdote y le habló con tanta dulzura que Montezuma consintió en hablar al pueblo, pero advirtió:

—Yo tengo por cierto que estos guerreros no me obedecerán en ninguna cosa. Además se han propuesto no dejar salir de aquí a ningún español con vida.

25 No obstante, desde lo alto de una casa y rodeado de buen número de soldados, comenzó a decir al pueblo, con palabras de persuasión, que abandonase la guerra, puesto que ya nos íbamos de México. Al terminar de hablar, cuatro guerreros del pueblo se le acercaron y llorando le dijeron:

30 —¡Ay señor, nuestro gran señor, cómo nos duele vuestro mal! Sin embargo, es nuestro deber deciros que ya los demás caciques han alzado a vuestro pariente por señor.

Por desgracia los nuestros que protegían con sus escudos a Montezuma le descuidaron mientras hablaba con los cuatro 35 guerreros. Apenas hubieron acabado de hablar, los rebeldes empezaron a tirar piedras, una de las cuales hirió a Montezuma en un brazo, otra en una pierna, y otra en la cabeza. Aunque todos le rogaban que se dejara curar, él parecía no tener el menor deseo de vivir, y en efecto poco después moría. Su muerte causó verdadero dolor a Cortés, y nosotros le lloramos como si hubiera sido nuestro propio padre.[1] 5

[1] Cortés was forced by this uprising to leave the capital, in his famous retreat of the *Noche Triste*. He returned, however, and besieged the city, which fell on August 13, 1521.

Alvar Núñez Cabeza de Vaca

ATRAVESANDO LA AMÉRICA DEL NORTE (1527–1536)

Alvar Núñez Cabeza de Vaca atravesó distancias enormes en dos continentes. En la América del Norte, él y sus compañeros recorrieron diez mil millas en ocho años: todo el oeste de la Florida; Texas y Nuevo México, de este a oeste; el sudeste de Arizona y el noroeste de México hasta Culiacán. Su jornada, y en particular las muestras de esmeraldas y turquesas que trajo consigo, inspiraron las expediciones posteriores de De Soto, Marcos de Niza, Coronado y otros exploradores que dieron a conocer el sur y el oeste de los Estados Unidos. La obra titulada Naufragios, *escrita por Cabeza de Vaca y publicada en mil quinientos cincuenta y cinco, es el relato de este increíble viaje.*

Cómo llegamos a la Florida

En el verano de mil quinientos veinte y siete Pánfilo de Narváez partió del puerto de Sanlúcar con autoridad del rey para explorar y gobernar la Florida.[1] Cinco naves formaban la expedición y en ellas íbamos
5 seiscientos hombres. Hizo mal tiempo hasta llegar a la Habana, y cuando estábamos a la entrada de la ciudad un fuerte viento del sur nos sacó de allí y nos llevó a la Florida, en una de cuyas bahías[2] anclamos el día de Jueves Santo.

No hacía una semana que estábamos allí cuando los
10 indios se acercaron al real, pero como entonces no teníamos intérprete no pudimos entenderlos. No obstante, por las señas que hacían, nos pareció que decían que nos marcháramos. A pesar de eso, la mañana del doce de abril empezamos la exploración del territorio, durmiendo la primera noche junto
15 a otra bahía muy ancha que entraba mucho por tierra.[3] Aquí nos juntamos con unos indios que nos condujeron a su pueblo y nos mostraron plumas, granos de oro, pedazos de tela y unas cajas de las usadas por los mercaderes de Castilla, en que había muertos envueltos en cueros de venado pintados. Como
20 mejor pudimos, preguntamos a los indios de dónde habían recibido todo aquello y ellos, mirando hacia el noroeste respondieron, «¡Apalache, Apalache!»[4]

Cuando volvimos a las naves, Narváez llamó a algunos de nosotros a consejo. Se resolvió que las naves siguieran junto
25 a la costa a ver si podrían hallar el puerto de Pánuco,[5] mientras nosotros lo buscábamos por tierra. Sin embargo, yo le rogué al gobernador que no dejara los navíos hasta que

[1] Then a vaguely defined region including the peninsula and extending west along the Gulf as far as the Rio Grande.

[2] Sarasota Bay. Although opinions differ as to the route of Cabeza de Vaca, the notes and map in this chapter follow the route established by Cleve Hallenbeck in *The Journey and Route of Alvar Núñez Cabeza de Vaca*, copyright by the Arthur H. Clark Co., Glendale, California, 1940.

[3] Tampa Bay.

[4] On the west side of the Apalachicola River.

[5] Pánuco was the northernmost Spanish settlement on the Gulf of Mexico.

quedaran en puerto y seguros. El me respondió que era de la opinión de los demás y que por la mía no había de cambiar.

En busca de Apalache

El día primero de mayo Narváez mandó dar a cada uno de los que íbamos por tierra con él dos libras de bizcocho y media libra de tocino. Eramos doscientos cuarenta hombres a pie y 5 cuarenta montados a caballo; el resto de la expedición quedaba en las naves. Durante las dos primeras semanas de marcha por aquella región de arena y pinos la única comida que hallamos fué el palmito.[1] Al fin de este tiempo llegamos a un ancho río[2] que pasamos con mucho trabajo. Mayor 10 dificultad aun tuvimos en atravesar el primer brazo de mar a que llegamos porque las conchas del fondo nos cortaban continuamente los pies.

Luego pasamos por unos bosques de árboles muy altos, muchos de los cuales habían sido abiertos en dos por los rayos 15 de las tempestades que son tan frecuentes en aquella tierra. El gran número de árboles caídos hacía la marcha muy difícil, pero al fin, ocho semanas después de dejar las naves, llegamos a Apalache. Alrededor del pueblo había un espeso bosque, y sus cuarenta casas con techos de paja, todas pequeñas y bajas, 20 estaban construidas en lugares abrigados por temor a las tempestades. Cuando cayó la noche, los indios, que al vernos horas antes habían huido, volvieron a pedir sus mujeres e hijos. Narváez se los dió, pero como ya nos habían matado un caballo, él se quedó con un cacique. 25

En Apalache conseguimos maíz seco, mantas de algodón y cueros de venado. Viendo, no obstante, que la tierra era pobre y sabiendo por los guías que hacia el sur estaba Aute,[3] que según ellos era mucho mejor, salimos a buscarla.

[1] This is doubtless the cabbage palmetto, a tree very common in Florida, whose large, fleshy leaf-buds are used as vegetables.

[2] The Suwanee.

[3] Near Apalachicola Bay.

En la bahía de los Caballos

La jornada a Aute resultó ser mucho más difícil de lo que esperábamos. La arena y las muchas lagunas de aquella tierra hacían durísima la marcha. Como si esto no bastara, el enemigo nos acosaba continuamente. Con el arco estos indios no
5 tenían rival y a doscientos pasos de distancia siempre hacían blanco. Sus flechas con punta de piedra, que penetraban pie y medio en el tronco de un árbol, atravesaban con menos dificultad aun nuestras corazas.

Al acercarnos a Aute hallamos que sus vecinos habían que-
10 mado las casas y huido al monte. Viendo, al poco tiempo de estar allí, que aquella región no era lo que los guías nos habían dicho, decidimos abandonar el viaje por tierra y seguir por mar. Como ahora estábamos sin naves, habría que hacer otras, lo cual, aunque no imposible, era en extremo
15 difícil. No teníamos herramientas, ni clavos, ni brea, ni cordaje, en fin, ningunas de cuantas cosas eran necesarias; y en la compañía había un solo carpintero. Sin embargo, nada aguza el ingenio como la necesidad. A poco de resolver construir las naves, un soldado hizo con cuero de venado un
20 magnífico par de fuelles. Luego comenzamos a hacer de las ballestas y de las otras cosas de hierro que teníamos, las herramientas y los clavos. Del palmito sacamos lana. Con ésta y el pelo de los caballos hicimos cuerdas; de los huesos hicimos agujas, y de la piel, cantinas para el agua. De nuestras camisas
25 hicimos las velas, y con la resina del pino y la lana del palmito calafateamos las naves. Con tanta diligencia trabajamos que en seis semanas estaban hechas cinco naves de treinta y dos pies cada una.

Hacia el Misisipí

A fines de septiembre los doscientos cuarenta y dos hombres
30 que quedábamos salimos de la bahía, a que ya habíamos puesto el nombre de bahía de los *Caballos*.[1] Una semana

[1] Same as Apalachicola Bay.

ARIZONA
Santa Fe
Zuñi
NEW MEXICO
Rio Grande
Pecos River
Tularosa River
Rincon Pass
El Paso
GUADALUPE MOUNTAINS
Opatas
Sonora River
Corazones
Soyapa
Onabas
Yaqui River
GULF OF CALIFORNIA
Sinaloa River
Culiacán
MEXICO
TEXA
Colorado River
Brazos River
Pecos River
Rio Grande
AVAVARES
San Antonio
TUNAS
Guadalupe River
Rio Grande
Corpus Christi

Cabeza de Vaca's North American Journey

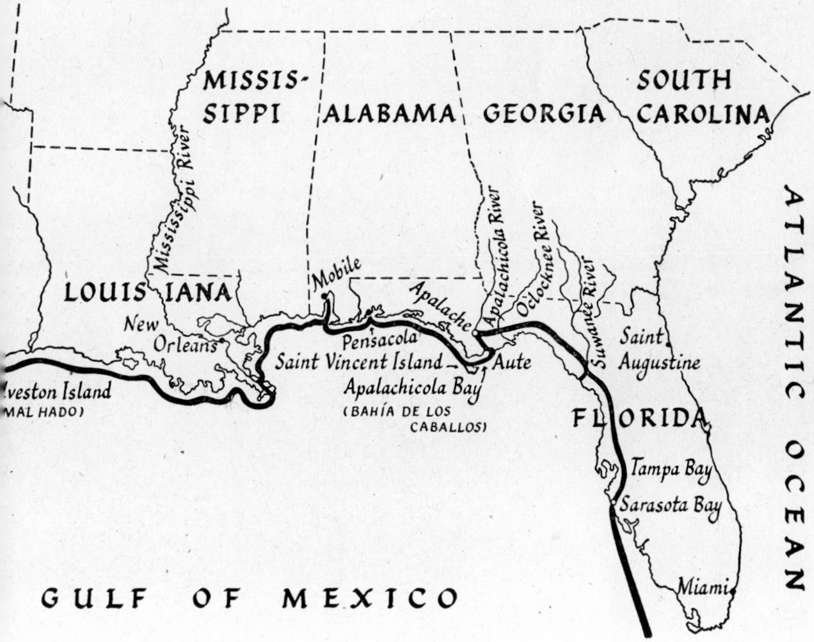

MISSIS-
SIPPI
ALABAMA
GEORGIA
SOUTH
CAROLINA
Mississippi River
Apalachicola River
Ocklocknee River
Suwanee River
LOUIS IANA
Mobile
Apalache
New
Orleans
Pensacola
Saint
Augustine
Saint Vincent Island
Aute
Apalachicola Bay
(BAHÍA DE LOS
CABALLOS)
lveston Island
MAL HADO)
FLORIDA
Tampa Bay
Sarasota Bay
Miami
ATLANTIC OCEAN
GULF OF MEXICO

después bajamos a una isla que llamé isla de *San Miguel*.[1] Con mal tiempo salimos de ella, buscando siempre a Pánuco, hasta que a fines del siguiente mes vimos una península[2] hacia la cual fuimos, esperando hallar allí agua. Hacía mucho tiempo que no la bebíamos, pues las cantinas que habíamos hecho con la piel de los caballos se habían podrido. Luego anclamos en otro puerto,[3] y de allí pasamos a una punta de tierra por la que corría un inmenso río.[4] Aquí nos juntamos y tomamos agua dulce. Donde mi nave se hallaba el río tenía más de cien pies de hondo y era tan ancho que no podía verse la otra orilla. Cuando salimos, la corriente era tal y el viento tan fuerte que nos era imposible gobernar. Cuando por última vez me vi junto a Narváez, él, sabiendo que el viento iba a separarnos, me dijo que cada uno hiciera lo que mejor le pareciera. Ya no volví a ver al gobernador, y al sexto día de haber visto el río mi nave se hallaba sola.[5]

En la isla de Mal Hado

Para entonces los que iban conmigo se hallaban tan débiles que ni siquiera tenían fuerzas para estar en pie. Como hacía mucho tiempo que nuestra ración no era más que unos granos de maíz, no es extraño que en nuestros cuerpos pudieran contarse los huesos. Antes del amanecer de cierto día nos pareció oír un ruido semejante al que hacen las olas al romperse, y mientras hablábamos de ello, una ola enorme cogió la nave y la llevó hasta la arena de una playa. Al salir el sol, ya nos hallábamos en tierra quemando leña, asando maíz, y bebiendo del agua que había llovido.

Para saber donde estábamos, mandé que Lope de Oviedo subiera a un árbol y examinara la tierra. El lo hizo y bajó a

[1] St. Vincent Island. [2] Pensacola. [3] Mobile. [4] The Mississippi.

[5] Narváez's boat, last seen in Matagorda Bay, Texas, was caught in a storm and was lost with him and two others on board. Cabeza de Vaca's boat sank at Mal Hado. Dorantes' and Castillo's boat also sank at Mal Hado. The fourth boat came to an end near Corpus Christi, Texas, and the fifth was dashed against the rocks at the San Bernardo River, Texas.

decir que estábamos en una isla poblada,[1] pues había visto caminos en ella. En efecto, media hora después nos visitaban cien indios de muy extraña figura. En el perforado labio inferior de cada uno colgaba una caña muy corta y fina. También tenían perforado el pecho junto a los brazos. Las mujeres venían vestidas de cierta lana que crece en los árboles,[2] y las chicas llevaban pieles de venado. Nosotros les dimos cuentas y cascabeles, y cada uno de ellos nos dió una flecha, que es señal de amistad, y por señas nos dijeron que volverían a traernos comida. Más tarde nos trajeron gran cantidad de pescado y de una raíz que ellos comen. Con esto y el agua que habíamos cogido, determinamos seguir.

Con muchísimo trabajo sacamos la nave de la arena en que estaba hundida. Ya en ella y a dos tiros de ballesta de la playa, una ola inmensa nos sacó los remos de las manos y hundió la nave, ahogándose tres de nuestros compañeros. Luego el mar echó a todos los otros, medio ahogados, en tierra. Así volvimos a vernos en la misma playa, desnudos y perdido todo lo que teníamos. Hacía mal tiempo, y soplaba el frío viento de noviembre. Buscamos los tizones del fuego que habíamos hecho; los hallamos por milagro, y con ellos hicimos otro fuego.

Por la tarde los indios, que nada sabían de lo que nos había sucedido, volvieron a traernos comida, y cuando comprendieron nuestra desgracia, lloraron mucho. Luego treinta de ellos, cargados de leña, se marcharon. Los otros esperaron hasta que cerró la noche, y entonces salieron con nosotros para su pueblo. Tres o cuatro veces pararon en el camino para calentarnos junto a los fuegos que los primeros habían hecho. Ya en el pueblo comenzaron a bailar y a hacer fiesta, lo cual duró toda la noche.

La mañana próxima vi en la mano de uno de ellos un objeto nuestro, pero que nosotros no le habíamos dado. Preguntándole quién se lo había regalado, él miró hacia el este y nos dió a entender que lo había recibido de hombres parecidos a nosotros. En seguida despaché cuatro mensajeros a buscarlos.

[1] Galveston Island. [2] Spanish moss.

No lejos de donde estábamos alcanzaron a Andrés Dorantes y a Alonso del Castillo, con los otros cuarenta y seis de su nave, los cuales habían naufragado un día antes que nosotros. Todos juntos ahora resolvimos reparar su nave y embarcar en ella; pero poco después de estar lista, ésta también se hundió. Así nos vimos obligados a quedarnos en la isla todo el invierno. En poco tiempo, de los ochenta españoles que estábamos allí, el frío y el hambre nos redujeron a quince. No es extraño, pues, que pusiéramos a la isla el nombre de *Mal Hado*.

Médico y mercader

El método que los indios de Mal Hado empleaban para curar a sus enfermos consistía en soplarlos y tocarlos con las manos. Cuando nos mandaban que hiciéramos lo mismo, nosotros les decíamos que no sabíamos curar; pero ellos, para obligarnos, nos quitaban la comida. En vista de esto no hubo más remedio que hacernos médicos. Nosotros, además de soplar al paciente, hacíamos la señal de la cruz, rezábamos un *Padre Nuestro* y un *Ave María*, y rogábamos a Dios que le devolviera la salud.

A principios del nuevo año, los indios de la isla me condujeron en sus canoas a un lugar de tierra firme donde había muchas ostras, pero donde la falta de leña y la abundancia de mosquitos me hacían la vida insoportable. Como si este tormento no bastara, yo tenía que sacar todos los días unas raíces que crecen entre las cañas, bajo agua, y están muy hundidas en la tierra. Debido a esto tenía los dedos tan gastados que si tocaban una paja empezaban a echar sangre. Las cañas también me habían cortado el cuerpo y los dedos de los pies, pues no llevaba zapatos y andaba siempre desnudo.

Al fin de un año pasé a servir a otra tribu, que vivía en los bosques del interior. Como los indios de estas partes estaban siempre en guerra, yo me ofrecí a servirles de mercader, y todos me aceptaron. Compraba y vendía entre ellos coquina, conchas, cueros, piel de venado, cañas para flechas, ocre y otras cosas más. Durante mis viajes de un sitio a otro vi unas vacas negras de cuernos cortos y largo pelo de seda.[1] Tres veces comí de su carne y me pareció mejor que la de nuestras vacas de Castilla.

Con españoles otra vez

5 Al cabo de seis años determiné escapar y volví a Mal Hado a buscar a Lope de Oviedo, único español que quedaba en aquella isla. Juntos él y yo, salimos de Mal Hado, atravesando primero cuatro ríos,[2] y llegando por fin a un ancón.[3] Aquí Oviedo, oyendo decir cómo habían muerto a manos de los 10 indios muchos de los que habían huido de la isla, tuvo miedo y se volvió. Pero, por el compañero que perdía, el cielo me daba tres, pues allí hallé a Andrés Dorantes, Alonso del Castillo y el negro Estebanico, cautivos de unos indios que iban río[4] arriba a buscar nueces. El resultado de este encuentro fué 15 que los cuatro resolvimos escapar juntos a la primera ocasión. Después de hallarnos en el río de las nueces, salimos con los indios para la tierra de las tunas;[5] pero por cierta disputa que hubo entre ellos, quedamos separados, y no fué hasta el otoño siguiente que volvimos a juntarnos y conseguimos escapar.

20 Los cuatro nos fuimos huyendo, confiando que, aunque era ya tarde y las tunas se acababan, con las que quedaban podríamos andar buena parte del camino. Una tarde, cuando aun temíamos ser alcanzados por nuestros amos, vimos humo, y al ponerse el sol nos acercamos a unas casas. Eran casas de 25 indios avavares, a quienes había llegado la fama de nuestras curas. Nos recibieron muy bien, y descansamos allí algún tiempo.

Un día cuando andábamos con ellos buscando tunas, llegamos a un río, donde nos separamos para que cada uno

[1] The buffalo.

[2] Probably Bastrop Bayou (or Oyster Creek), the Brazos and San Bernardo Rivers and Caney Creek.

[3] The mouth of the Colorado River (Texas).

[4] The Colorado River (Texas).

[5] In general, the region south of San Antonio.

fuera por donde quisiera. Como por aquella tierra no hay caminos, yo me perdí, y estuve perdido algún tiempo. Al principio me pareció que iba a morir de frío, pero viendo arder unos árboles, cogí ánimo otra vez. Pasé la noche junto al fuego. Por la mañana, cuando salí a buscar a mis compañeros, me puse en la espalda una carga de leña y cogí un tizón para tener con que hacer fuego. Todas las noches, mientras estuve perdido, hacía un gran hoyo, en el cual, y con la leña que llevaba, encendía cuatro fuegos en forma de cruz. Una noche cayó una chispa en la paja con que me cubría y mi cama empezó a arder. El calor me despertó, y aunque el fuego había principiado a quemarme el pelo, logré apagarlo a tiempo. El quinto día volví a hallar a mis compañeros cerca de otro río.[1] Estos ya me creían muerto, no dudando que alguna serpiente me había picado.

Una operación difícil

Despidiéndonos de los avavares, seguimos la jornada hasta que entramos en una tierra donde las tribus comían mezquite y fumaban cierta cosa que las emborrachaba. Luego, caminando hacia el oeste, pasamos por caseríos donde abundaba la carne de venado, y a poco de esto vimos las primeras montañas.[2] Pasando después por aldeas de veinte y de cuarenta casas, en una de las que nos dieron una sonaja de cobre, llegamos a un precioso río,[3] donde comimos unos piñones que me parecieron exquisitos.

En este lugar nos trajeron un guerrero gravemente herido por una flecha. Yo le examiné y me pareció que la punta de la flecha estaba cerca del corazón. Entonces, cogiendo un cuchillo y pidiendo a Dios ayuda, le abrí un poco el pecho. Con gran dificultad le saqué la flecha, y haciendo luego una aguja de un hueso de venado, cosí la herida. Casi todos los vecinos vinieron a ver la operación, y más tarde enviaron la

[1] The Colorado, farther west. [2] The Guadalupe Mountains, Texas.
[3] The Tularosa River, New Mexico.

flecha a los que no habían podido estar presentes. El suceso fué celebrado con baile y fiesta y nos dió tanta fama que en adelante nos seguían hasta cuatro mil indios.

Hacia el sudoeste

Bajando otra vez por montañas áridas, donde no había nada que cazar, llegamos a un ancho llano y luego a un gran río,[1] el cual cruzamos por un vado[2] quince días después. Durante esta parte de la jornada los indios nos dieron cueros y mantas de algodón, pero pasamos hambre todo el tiempo, pues no nos gustaba el *chacán* que ellos comían, y nosotros no teníamos más que unas onzas de grasa de venado. Seguimos caminando por unas mesas secas como el desierto, donde las tribus comían paja; hasta que por fin nos encontramos en la fértil tierra de los ópatas[3] donde había abundancia de maíz, frijoles y calabazas. Aquí vimos los primeros pueblos dignos del nombre,[4] lo cual fué la cosa del mundo que más me alegró.

Estos indios cocinan su comida de la manera más extraña del mundo. Ponen agua en una calabaza, que sirve de olla, y echan en un fuego muchas piedras. Cuando las piedras están ardiendo, las cogen con dos palos y las dejan caer en el agua de la calabaza. El fuego de las piedras hace hervir el agua, y entonces echan en ella lo que quieren cocinar.

Anduvimos luego no sé cuántas leguas y fuimos a descansar a un pueblo que llamé *Corazones*,[5] por los muchos corazones de venado que comimos allí. Aquí nos regalaron también corales traídos del mar del Sur, cinco puntas de flecha hechas de esmeralda, y turquesas que venían de las montañas del norte. Los indios nos dijeron que las traían de unas sierras muy altas, y que las compraban con plumas de papagayos. Decían que allí había pueblos de mucha gente y casas muy grandes.[6]

[1] The Rio Grande, near El Paso. [2] Rincon Pass, New Mexico.
[3] Sonora, northwest Mexico. [4] Probably the towns of the Pueblo Indians.
[5] On the Sonora River, Mexico.
[6] When Cabeza de Vaca returned to Spain in 1537 he gave the emperor these turquoises and emeralds, together with a buffalo hide. His few words regarding

Las gentes de estas tribus nos acompañaban hasta dejarnos en manos de otras tribus. Teníamos con ellas mucha autoridad, y para conservarla nosotros les hablábamos pocas veces, pero el negro Estebanico les hablaba siempre. Se informaba de los caminos y de los pueblos que había y de las otras cosas que 5 queríamos saber. Pasamos por gran número y diversidad de lenguas. Con estos indios Dios Nuestro Señor nos favoreció, porque siempre nos entendieron y les entendimos, y así preguntábamos y ellos respondían como si hablaran nuestra lengua y nosotros la suya. 10

Noticias de otros cristianos

Siguiendo ahora la orilla de un río, entramos en un lugar[1] donde vimos un indio que llevaba un clavo colgando en el cuello. Preguntándole quién se lo había dado, contestó que unos hombres como nosotros que tenían barba, espada y lanza. Dimos muchas gracias a Dios por lo que acabábamos de oír. 15 No tardamos en hallar los sitios donde los cristianos habían dormido y las estacas a que habían atado los caballos. Con Estebanico y once indios, me adelanté a buscarlos. Un día, por la mañana, alcanzamos cerca de otro río[2] a cuatro hombres montados a caballo. Ellos al verme vestido de manera tan 20 extraña y en compañía de indios se sorprendieron mucho, y estuvieron mirándome mucho tiempo sin hablarme ni preguntarme nada. Luego me condujeron adonde estaba su capitán. Después de hablarle un rato le pedí que me dijera el año y el mes y el día en que había llegado, y así lo hizo. 25

Al vernos en tierra de cristianos, los seiscientos indios que venían acompañándonos desde Corazones se despidieron de nosotros. De aquí bajamos por un camino montañoso, y el día primero de abril de mil quinientos treinta y seis, entramos en Culiacán. Este era el primer pueblo español que habíamos 30

wealthy cities to the north set in motion the long train of Spanish exploration in our Southwest.

[1] Soyapa (or Onabas), on the Yaqui River, Mexico.

[2] The Sinaloa River.

visto desde nuestra salida de la Habana ocho años antes. Acompañados ahora por buen número de cristianos y nuevos indios, salimos de Culiacán y después de pasar por otros pueblos españoles, entramos en la gran ciudad de México el 5 día veinte y tres de julio del citado año.

Garcilaso de la Vega, el Inca

LAS EXTRAÑAS AVENTURAS DE JUAN ORTIZ

(1529–1539)

A poco de llegar Hernando de Soto a la Florida con su gran expedición en mil quinientos treinta y nueve, sintió la falta de alguien que supiera la lengua de los indios que iban a servirle de guías por aquellas tierras. La suerte le dió al adelantado el intérprete que necesitaba en la persona de Juan Ortiz. Este era un mozo sevillano, cautivo un tiempo de un cacique que al fin había resuelto ejecutarle, pero cuya hija, como la Pocahontas[1] *del siglo siguiente, logró librarle de la muerte. La versión más extensa que hay de las aventuras de Juan Ortiz se halla en* La Florida del Inca, *de Garcilaso, obra inspirada en los relatos de un amigo que había estado con el adelantado en la Florida. La obra no es del todo histórica, pues como el autor mismo dice, «es imposible escribir la crónica de la Florida, que en verdad es florida, con estilo seco.»*

[1] According to the legend, Pocahontas (1595–1617), daughter of the Indian chief Powhatan, saved Captain John Smith when he was on the point of having his brains beaten out by a club. Smith was a member of the expedition which landed in Chesapeake Bay in 1607, ascended the James River and founded a settlement there.

Cuatro españoles caen en poder de un cacique

Cuando el gobernador Pánfilo de Narváez estuvo en la Florida, le hizo la guerra a cierto cacique llamado Hirrihigua quien en otro tiempo había sido amigo suyo. Debido a esto el cacique quedó tan ofendido 5 que juró vengarse de los españoles a la primera ocasión.

Algún tiempo después que Narváez había abandonado aquel lugar,[1] llegó allí uno de sus navíos que se había quedado atrás, y cuando Hirrihigua lo supo, resolvió coger a todos los que iban a bordo. Fingiéndose amigo del gobernador, envió un 10 indio a decir al capitán del navío que Narváez había estado allí y que le había dejado un mensaje para él. Para que le creyera, mostró desde la playa unas cartas que de la vieja amistad con el gobernador guardaba aún; pero el capitán, que no estaba convencido todavía, no quiso enviar a nadie a 15 tierra. Entonces el cacique despachó al navío cuatro indios en rehenes, diciendo al capitán que si tenía aún sospechas, le enviaría todos los indios que quisiera. En vista de esto el capitán mandó que cuatro españoles entraran en la canoa y fueran a tierra. Apenas hubieron llegado allí cuando los 20 cuatro indios, viendo que los cristianos estaban ya en poder del cacique, se arrojaron al agua y nadando como peces llegaron a la playa. El capitán, viéndose burlado, antes que le sucediera algo peor, abandonó la bahía.

Cómo el cacique trataba a Juan Ortiz

Hirrihigua resolvió guardar los cuatro españoles para 25 sacrificarlos separadamente cierto día en que esperaba celebrar una gran fiesta. Cuando hubo llegado el día, los sacó desnudos a una gran plaza y mandó que, mientras corrían de un sitio a otro, los indios los flecharan. Como el cacique no les permitía

[1] According to the account of the Gentleman of Elvas, who accompanied De Soto, Ortiz had returned to Cuba after the disappearance of Narváez. Narváez's wife sent him back to Florida, with twenty or thirty others, to rescue the governor or learn of his fate.

descansar y las flechas los herían continuamente, los tres primeros murieron a las dos horas de empezar la carrera. Cuando llegó el turno al último, que era un mozo sevillano llamado Juan Ortiz, cuatro indias salieron corriendo adonde estaba el cacique. Eran su mujer y sus tres hijas. Con lágrimas en los ojos, le rogaron que perdonara al cristiano, pues era demasiado joven para morir. 5

Hirrihigua perdonó al mozo, pero luego le hizo la vida tan amarga que más de una vez envidió la suerte de sus compañeros muertos. El continuo trabajo de cortar árboles y buscar agua le fatigaba tanto, los castigos eran tan crueles, y la comida y el sueño tan pocos, que, más que hombre, parecía fantasma. En los días de fiesta, el cacique, para hacerle sufrir, le hacía correr por la plaza todo el día, y cuando paraba, mandaba que le tiraran flechas. Cuando llegaba la noche, el pobre muchacho se hallaba sin ánimo para nada y más muerto que vivo. Sin embargo, las cuatro mujeres acudían siempre a él, le llevaban a la cama, y le daban alimento. 10 15

Ortiz da muerte a un león

Más tarde Hirrihigua mandó que el mozo fuera a velar día y noche los cuerpos de los muertos, los cuales eran llevados siempre a un monte. Los cuerpos eran puestos en cajas de madera, y sobre las tapas ponían muchas piedras. A pesar de esto, los leones, que abundan en aquella tierra, sacaban los cuerpos de las cajas. El cacique advirtió a Ortiz que si perdía siquiera uno de aquellos cuerpos, le quitaría la vida. Extraño como parece, el muchacho, al saber que su amo le enviaba a velar los muertos, se alegró, esperando tener mejor vida con ellos que con los vivos. Llevando algunas flechas para su arco y rogando a Dios que le protegiera, se fué al monte. 20 25

Sucedió que una de las noches que velaba se durmió sin saber cómo. Durante su sueño llegó un león, y derribando las piedras y la tapa de una caja, sacó el cuerpo de un niño que había dentro y se lo llevó. Al ruido de las piedras el mozo se 30 despertó; se acercó en seguida a la última caja que había llegado, y viéndola vacía, se tuvo por muerto. A pesar del miedo que sentía, principió a buscar al ladrón. Mientras andaba de una parte a otra, oyó un ruido extraño, y sin perder tiempo corrió hacia el sitio de donde le pareció que venía. A la luz de la luna vió entonces el león que había robado el cuerpo y lo llevaba en la boca. Cogiendo ánimo, y llamando a Dios, le tiró una flecha, y aunque luego perdió de vista al animal, sospechó que lo había herido.

Ya podemos imaginar la alegría del muchacho cuando la mañana próxima halló el león muerto y con la flecha en el corazón. Sin sacarle la flecha, lo sacó del monte y arrastrándolo por una pata lo llevó hasta la casa de Hirrihigua. Ni el cacique ni los vecinos podían creer lo que estaban viendo, pues allí creen que sólo por un milagro puede un hombre matar un león. Es verdad que los leones de la Florida no son tan grandes ni tan feroces como los del Africa, pero al fin son leones, y con el nombre les basta.[1]

De cómo Ortiz huyó del cacique

Hirrihigua, viéndose obligado a tratar mejor a Ortiz, le dijo que no volviera a velar los muertos. Sin embargo, cada vez que recordaba que los españoles le habían despreciado, le tomaba el diablo y no pensaba sino en vengarse. Un día, no pudiendo vencer su ira, les dijo a su mujer y a sus hijas que el muchacho tenía que morir, y fijó su ejecución para el primer día de fiesta que hubiera. Como el cacique hablaba con tanto enojo, las mujeres creyeron mejor no contestar, pero la víspera de la fiesta, la mayor de las hijas le dió noticia a Juan Ortiz de la resolución de su padre.

— Si tienes valor para huir — le dijo — yo te daré favor y ayuda. Esta noche, al salir la luna, hallarás a la entrada del pueblo un criado mío en cuyas manos te pongo. El te guiará

[1] Florida has wildcats, lynxes and pumas (also called "Florida panthers"), but no lions.

hasta un puente que está a dos leguas de aquí. Cuando lleguéis a él, dirás al guía que se vuelva en seguida para que nadie note su ausencia. Tú caminarás otras seis leguas, al fin de las cuales hallarás un pueblo. Su cacique se llama Mucozo, y hace tiempo que quiere casarse conmigo. Te presentarás a él 5 en mi nombre y le pedirás que te favorezca. Yo sé que él lo hará. Ahora reza a tu Dios, que yo no puedo hacer más.

El mozo, al oír aquellas palabras y sabiendo que salían de un corazón muy noble, se echó a los pies de la dama. A la hora indicada, cuando los de la casa del cacique dormían, él y su 10 guía salieron del pueblo y principiaron a andar hacia el puente. Una vez allí se separaron, cumpliendo cada uno la orden de su señora.

Cuando Mucozo supo que un mensajero se acercaba al pueblo, salió a la plaza a recibirle. Ortiz, después de decirle 15 quién le enviaba, empezó a contarle cómo y por qué había huido. Mucozo le oyó con gran interés. Sintió mucha lástima al saber lo que había sufrido. Le habló con cariño para que olvidara la vida pasada, y le aseguró que en adelante le protegería. 20

—Así serviré a la dama que te ha enviado y ganaré un amigo — acabó diciéndole.

El buen cacique cumplió todo lo que le prometió a Ortiz, y muy pronto le consideraba su mejor compañero. Mientras tanto, Hirrihigua, sospechando que el mozo estaba en el pue- 25 blo de Mucozo, envió muchas veces por él; pero Mucozo no se lo devolvía. Tanto defendía al muchacho que hasta perdió la boda que antes había arreglado con la hija mayor de Hirrihigua. En total, Ortiz estuvo diez años con los dos caciques, año y medio con Hirrihigua y el resto con Mucozo. 30

De Soto envía por Juan Ortiz

Hernando de Soto oyó, al llegar a la Florida, el relato que acabamos de hacer. Antes, en la Habana, se lo había contado uno de dos indios traídos de la Florida, pero no lo había comprendido bien.[1] Cuando el indio en su relato nombraba al mozo, decía siempre: «Orotiz», y los españoles creían que decía que en su tierra había mucho oro.

Cuando De Soto estuvo seguro que el muchacho se hallaba con Mucozo resolvió enviar por él. Así lo sacaría del poder de los indios y al mismo tiempo tendría un excelente intérprete. Nombró para la expedición un oficial llamado Baltasar de Gallegos y le dió sesenta soldados a caballo y con lanzas. Sus órdenes eran decir a Mucozo que el gobernador le estaba muy agradecido por los favores que había hecho a Juan Ortiz, y que esperaba tener la oportunidad de servirle. Ahora, sin embargo, le rogaba que le enviara al mozo, pues le necesitaba para cosas muy importantes.

Al mismo tiempo Mucozo, cuando supo que De Soto estaba en su tierra, pidió a Ortiz que fuera a hablarle en su favor.

— Sabes, hermano — le dijo Mucozo — que acaba de llegar al pueblo de Hirrihigua un capitán español con mil hombres y muchos caballos. Bien sabes lo que he hecho por ti; ésta es la hora en que tú puedes hacerme un gran favor. Irás al capitán y le dirás que si no me hace daño pondré mi persona, mi casa y todo lo que tengo a su disposición. Te acompañarán cincuenta vasallos míos y cuidarás de ellos como si fueran tus hermanos.

El mozo, dando gracias a Dios por la noticia, le respondió a Mucozo que se alegraba de poder servirle y que no dudaba que el capitán le oiría. A la cabeza de los cincuenta indios, entró en el camino real el mismo día que Gallegos salía a buscarle.

Los dos se encontraron en un gran llano, cerca de un bosque. Los indios, viendo a los castellanos, le dijeron a Juan Ortiz que querían meterse en aquel bosque hasta que los cristianos los reconocieran por amigos. Ortiz, sin hacerles caso, marchó hacia los españoles. Creía que le reconocerían, pero se equivocaba. En verdad, ya el mozo no se diferenciaba en nada de

[1] These Indians were brought to Cuba by Juan de Añasco, whom De Soto sent to Florida to make a preliminary exploration of the coast (see page 76).

los indios que le acompañaban. Era tan moreno como ellos, tenía en las manos arco y flechas, y llevaba plumas en la cabeza. Los castellanos, viendo acercarse a tantos indios, se prepararon para atacarlos, pero éstos huyeron al bosque, dejando solos en el campo a Juan Ortiz y a un indio que no 5 quiso abandonarle.

En esto uno de los españoles, llamado Alvaro Nieto, le tiró una lanza a Ortiz. El mozo dió un salto, huyendo de la lanza, y viendo que Alvaro Nieto le seguía gritó, «*¡Xivilla, Xivilla!*» por decir «¡Sevilla, Sevilla!» Con el poco uso que había tenido 10 de la lengua castellana en los diez años pasados no sabía ya pronunciar ni siquiera el nombre de su propia tierra. Cuando Nieto le oyó gritar, «*¡Xivilla, Xivilla!*» le preguntó si era Juan Ortiz, y cuando el mozo le dijo que sí, corrió hacia él y le montó en su caballo, muy alegre al haber hallado lo que 15 había salido a buscar.

Fiesta en el real y visita de Mucozo y su madre

Buena parte de la noche había pasado cuando Gallegos y sus soldados entraron en el real. De Soto, al ver que habían cumplido sus órdenes, se alegró mucho. Recibió a Ortiz con los brazos abiertos, como si fuera su hijo, y envió mensajeros 20 a Mucozo, invitándole a pasar unos días en su compañía. Luego mandó dar una gran fiesta en honor a Ortiz, y le regaló un magnífico traje de terciopelo negro. El mozo, sin embargo, habría preferido no llevar un traje tan elegante. Había vivido tantos años con los indios que ahora hallaba la ropa muy 25 pesada.

Tres días después, el cacique Mucozo llegaba al real, acompañado de los suyos. Besó la mano a De Soto y habló con todos los capitanes y caballeros que se hallaban allí, tratando a cada uno según su posición, preguntando primero a Juan Ortiz 30 quién era éste, aquél y el otro. Los españoles quedaron encantados con él, le llenaron de atenciones y le hicieron muchos regalos.

Dos días después de la llegada de Mucozo, su madre también entraba en el real. Venía muy asustada, pues temía que los españoles le hubieran matado al hijo. De Soto la recibió muy bien y le aseguró que su hijo por sus prendas merecía 5 que todos le sirviesen, y a ella también, por ser madre de tal hijo. Con estas palabras la buena mujer se calmó un poco. Sin embargo, cada vez que se sentaba a la mesa preguntaba a Ortiz si él comería lo mismo que le daban a ella y a su hijo, pues temía que hubiera veneno en la comida. De Soto y sus 10 capitanes se reían y le aseguraban que podía comer sin miedo, pero ella esperaba siempre a que Ortiz comiera primero. Después de tres días se marchó a su pueblo, pero Mucozo se quedó en el real ocho días más, durante los cuales hablaba con todos tan familiarmente y con tanta cortesía que parecía haber 15 vivido siempre entre españoles. Pasados los ocho días se fué a su casa, pero volvió otras veces a ver a De Soto, a quien, para mostrar su agradecimiento, le traía siempre regalos.[1]

[1] Ortiz made the most of his position as interpreter to De Soto. On one occasion four Spaniards stole a few shawls and skins from some Indians, who made a great uproar about it. De Soto sentenced the two leaders to be beheaded, and the other members of the expedition pled for them in vain. At this point the Indians arrived to make a further protest. Ortiz told the governor that they had come to say that the Spaniards had done them no harm and that they should be set free. He then told the Indians that the culprits were going to be severely punished. Everyone was satisfied, and the Spaniards were released. Ortiz died before the expedition reached the Mississippi, and he was sorely missed. Matters that he would have been able to explain in a few words were not understood for days, and for lack of accurate directions the expedition often had to retrace three or four days' march.

Garcilaso de la Vega, el Inca

EL VIAJE DE HERNANDO DE SOTO A LA FLORIDA

(1538–1539)

Hernando de Soto salió para América casi medio siglo después del descubrimiento. Para la fecha de su salida ya se habían explorado muchas nuevas tierras en ambos continentes. Más de un español vivía entonces que había visitado tierras tan lejanas una de otra como México y el Perú, Guatemala y Chile, la Florida y la Argentina. La navegación seguía siendo, sin embargo, peligrosa, en particular de noche, cuando era muy difícil y a veces imposible distinguir las naves castellanas de las enemigas. A tal dificultad y al hecho de que todos los mares estaban infestados de piratas se deben los incidentes tragicómicos descritos en el siguiente relato.

Preparativos para el viaje

Hernando de Soto estaba en el Perú cuando los españoles prendieron a Atahualpa. Este fué el último Inca de aquella tierra cuya conquista dió tantos millones a la corona de España y a personas particulares.[1] De Soto fué el primer español que le vió y habló con él, y con los regalos que el Inca le hizo, llegó a tener una fortuna enorme. Aunque con tal riqueza, y ya en España, habría podido vivir como un príncipe, prefirió volver a América.

Con este fin marchó a Valladolid, donde el emperador Carlos Quinto tenía entonces su corte, y le pidió que le dejara conducir una expedición a la Florida. Añadió que deseaba explorar esta tierra a su propia costa, por servir a Su Majestad y aumentar la corona de España. El emperador consintió, dando a De Soto el título de adelantado y un estado de treinta leguas de largo y quince de ancho en la parte de la Florida que él escogiera. También le nombró gobernador de la isla de Cuba, para que con esa autoridad le fuera más fácil conseguir todo lo que necesitara para la conquista.

La nueva empresa se publicó en seguida por toda España. Al saberse que el capitán que la emprendía había hecho fortuna en el Perú, no hubo dificultad en hallar gente. Novecientos cincuenta españoles se juntaron en Sanlúcar para ir a la Florida. De todas partes de España acudieron caballeros ilustres y soldados que habían servido a Su Majestad en diversas partes del mundo. En la expedición iban veinte y cuatro padres de la iglesia, entre ellos el obispo Hernando de Mesa, y la gente necesaria para su servicio. Hasta labradores había que vendían sus casas y sus tierras para venir a ofrecerse a De Soto. Casi todos eran mozos; apenas se hallaba uno que tuviera el pelo blanco, cosa muy importante, pues

[1] The Spaniards seized Atahualpa in November, 1532, but promised to release him if he would fill with gold a room twenty-two by twenty-seven feet. In spite of the fact that he did this, they executed him on August 29, 1533.

todo el mundo sabe que el soldado joven vence con más facilidad que el de muchos años los trabajos que son parte de toda jornada.

El adelantado se apresuró a comprar navíos, armas y municiones. Nombró oficiales, escogiendo para estos cargos personas hábiles. Como todo se hacía con diligencia, y había mucho dinero, la expedición quedó lista en menos de un año. Iba en diez naves grandes y pequeñas: siete naos, una carabela y dos bergantines. El adelantado con toda su casa y familia se embarcó en la nao capitana *San Cristóbal*. Con esta armada iba otra de veinte naos que la acompañaría hasta Santiago de Cuba.[1] Esta segunda armada también tenía por general a Hernando de Soto; pero desde Cuba el mando pasaría a un caballero llamado Gonzalo de Salazar, quien la conduciría a México.

De lo que pasó en la primera noche de la jornada

El seis de abril de mil quinientos treinta y ocho, las dos armadas salieron del puerto de Sanlúcar, navegando con buen tiempo. El primer día, poco antes de anochecer, el adelantado llamó al soldado Gonzalo Silvestre[2] y le mandó decir a los centinelas que no se descuidaran. Mandó también tener la artillería lista para hacer fuego al primer navío que pareciera sospechoso. Todo marchó bien durante las primeras horas, pero a medianoche los marineros de la nao en que iba Gonzalo de Salazar la dejaron adelantarse a todas las otras, o por presumir que ella también era nao capitana o porque el piloto se hubiera dormido. El soldado Gonzalo Silvestre quien, para mejor cumplir la orden del adelantado, había resuelto no dormir en toda la noche, mientras andaba de una parte a otra, vió las luces del navío de Salazar. Creyó que era un navío enemigo. No se le ocurrió que pudiera ser de la expedi-

[1] This convoy system was consistently used by the fleets of galleons which, throughout the colonial period, brought New World treasures to Spain.

[2] Gonzalo Silvestre, who appears here as a model soldier, is the friend whose accounts of De Soto's expedition inspired Garcilaso to write *La Florida del Inca*.

ción, pues si lo fuera, no se atrevería a adelantarse a la nao capitana. Es una regla de la navegación que los marineros que hacen eso son castigados con la muerte.

No había más alternativa que hacer fuego al navío sospechoso, y así lo hicieron. El primer tiro le rompió las velas; el segundo le destrozó los palos; y al tercero, los del navío comenzaron a dar voces diciendo que eran españoles. El adelantado, que se había levantado al oír el ruido, resolvió alcanzar aquella nave. Así lo hizo, pero las dos naves al juntarse se vieron en otro peligro mayor aun que el primero. Como los del navío de Salazar se hallaban muy ocupados buscando excusas y los de la nao capitana, pidiendo castigo para los culpables, no miraron por donde iban, y los palos de un navío quedaron cogidos entre el cordaje del otro. Los marineros, turbados con el peligro, los gritos de la gente y la obscuridad de la noche, no sabían qué hacer. Los que tenían ánimo no podían mandar porque nadie les obedecía, y todo era confusión.

Tal era la situación cuando la nao capitana, con las puntas de las entenas, por milagro cortó las velas y cuerdas de la otra, y las dos naves quedaron separadas. El adelantado quedó tan enojado con Gonzalo de Salazar que mandó que le cortaran la cabeza, pero al oír su explicación le perdonó y lo olvidó todo. Sin embargo Salazar, después de llegar a México, siempre que se hablaba de aquella noche, decía que le gustaría hallarse otra vez con De Soto para vengarse del mal rato que le había hecho pasar.

Sin más dificultades llegó el adelantado el veinte y uno de abril a la Gomera, una de las islas Canarias, que es adonde todas las flotas van a tomar agua. Aquí sucedió una cosa muy extraña. En una de las naos iba un caballero que llevaba un lebrel de mucho valor. Este lebrel, cuando la nao estaba a doce leguas de la Gomera, cayó al mar, y como la nao llevaba viento próspero, no fué posible parar a recogerlo. Al llegar al puerto de la Gomera, el caballero muy sorprendido vió el lebrel en tierra, y fué con gran alegría a quitarlo a las personas que lo llevaban. Averiguó entonces que la gente de un barco que iba de una isla a otra lo había visto nadando en el mar y lo había metido en el barco. El lebrel había pasado cinco horas nadando.

De lo que pasó en el puerto de Santiago de Cuba

A fines de mayo las naves de De Soto llegaban a Cuba, mientras la otra flota seguía hasta Vera Cruz. Todos estaban muy alegres al ver que acababa el largo viaje. El navío *San Cristóbal* empezaba a entrar en el puerto de Santiago cuando los marineros vieron venir un hombre a caballo que les gritaba, «¡A babor, a babor!», que en lengua de marineros quiere decir a mano izquierda del navío. Nadie sospechó que lo que aquel hombre buscaba era hundir los navíos, creyendo que eran piratas. El piloto y los marineros guiaron la nao por la izquierda; pero entonces el hombre, reconociendo que la armada no era de piratas, comenzó a gritar, «¡A estribor, a estribor!», que es a mano derecha del navío. Para darse a entender mejor se echó del caballo abajo y corrió para ese lado, haciendo señas con los brazos y con la capa.

Los de la nao capitana la dirigieron ahora hacia la derecha, pero no pudieron evitar que diera en una roca un golpe tan grande que los que iban dentro creyeron que se había abierto. Con mucha prisa echaron los botes al agua, llevando a tierra en ellos a la mujer del adelantado, sus damas y algunos caballeros jóvenes no acostumbrados a los peligros del mar, que se habían asustado mucho.

Mientras tanto los marineros bajaron a la bodega, y viéndola inundada, pusieron manos a la bomba; pero en vez de sacar agua, sacaron vino, vinagre, aceite y miel. El golpe que la nao había dado en la roca había roto todas las vasijas que había en la bodega, pero la nao misma se hallaba en perfecto estado. Esta noticia hizo reír tanto a todo el mundo que los que habían huido a tierra no querían volver al navío, temiendo las burlas de los otros.

Al entrar la armada en el puerto, la ciudad entera salió con mucha fiesta a recibirla y darle la bienvenida. Cuando los habitantes supieron que allí venía también el obispo Hernando de Mesa, su alegría fué mayor aún, pues él era el primer prelado que llegaba a Santiago. Un mal rato le esperaba al 5 obispo, sin embargo. Al bajar al bote para ir a tierra perdió el equilibrio y cayó en el agua. Como no sabía nadar, estuvo a punto de ahogarse, pero los marineros, echándose al agua, le sacaron.

Las fiestas en honor a la flota duraron tres meses. Hubo 10 bailes, máscaras y toros. También se dieron premios que consistían en joyas, oro y seda a los que mejor escribían verso o prosa, a los que mejor vestían y a los que mejor usaban las armas.

El adelantado y Hernán Ponce

A fines de agosto la armada salía de Santiago para la 15 Habana. El adelantado, viendo el daño que los piratas habían hecho a esta ciudad, reparó la catedral y ayudó con dinero a los vecinos para que volvieran a construir sus casas. También dió orden al capitán Juan de Añasco para que fuera con los dos bergantines a explorar la costa de la Florida. Añasco 20 volvió al fin de dos meses trayendo dos indios de aquella tierra. De Soto, animado por su relación, mandó que fuera otra vez a la Florida y que notara con especial cuidado los puertos y bahías que en ella hubiera, para que la armada pudiera ir directamente a un puerto ya conocido. Nombró a su mujer, 25 doña Isabel de Bobadilla, gobernadora de Cuba, y a Juan de Rojas teniente de gobernador, y se preparó para salir tan pronto como empezara el buen tiempo.

Mientras De Soto esperaba el momento para embarcarse, se vió en el puerto una nave extraña. Muchos la habían visto 30 entrar tres veces en la boca del puerto y salir dos veces. El principal pasajero que venía en ella les había dicho a los marineros que no entraran en la Habana. Estos, sin embargo, no pudiendo vencer la furia de los vientos, se habían visto obligados a entrar.

Es necesario decir aquí que, antes de salir del Perú, Hernando de Soto y cierto Hernán Ponce habían acordado ir a medias en todo lo que perdieran o ganaran y en cuanta fortuna hicieran durante toda la vida. Después que De Soto se había marchado a España, Hernán Ponce hizo una fortuna 5 inmensa en el Perú. Con ésta, y con el cobro de algunas deudas que De Soto le había dejado, volvía a España muy rico. Al averiguar que De Soto estaba en la Habana resolvió no entrar en esta ciudad; así no tendría que darle cuenta de nada, y mucho menos dividir con él lo que traía. Esto explica por qué 10 su nave, empujada hacia el puerto por los vientos, trató dos veces de salir de él.

Tan pronto como el adelantado supo que Hernán Ponce venía en el navío, envió un mensajero a darle la bienvenida. Luego él mismo fué a bordo, y los dos caballeros se hablaron 15 largo rato con palabras finas y corteses. Sin embargo, cuando el adelantado le invitó a su casa, Hernán Ponce se excusó, diciendo que por el mucho trabajo y poco descanso que había tenido no podía desembarcar aquel día. Le prometió, no obstante, que más tarde bajaría a tierra a gozar de su hos- 20 pitalidad. De Soto entonces se despidió, dejándole en el navío; pero como temía que escapara, mandó que secretamente le velaran por mar y tierra.

Hernán Ponce, ignorando que le velaban, resolvió esconder en tierra gran parte del tesoro que traía del Perú. Dejando la 25 plata para mostrársela a De Soto, mandó sacar del navío a medianoche dos cajas llenas de oro y joyas, y mandó que las dejaran en tierra hasta que él dijera. Los espías del adelantado, cuando vieron a los que traían el tesoro, los atacaron y quitándoles ambas cajas las llevaron a De Soto. 30

El día siguiente Hernán Ponce, muy triste por haber perdido su tesoro, fué a visitar al adelantado. Este, viendo a su huésped de mal humor y sabiendo la causa, mandó que sus guardas trajeran las dos cajas tomadas la noche anterior y las entregaran a su dueño. Hernán Ponce, al volver a ver su tesoro 35 intacto, apenas creía sus propios ojos. Además, el adelantado

le aseguró que si quería formar parte de la expedición a la Florida, él le daría el título o títulos que escogiera. Hernán Ponce fingió quedar confundido al ver la generosidad de su amigo. Le rogó que le perdonara lo pasado y añadió que aun-
5 que no podía ir a la Florida, deseaba ser otra vez compañero y hermano suyo. También pidió permiso para entregar a doña Isabel, mujer del adelantado, diez mil pesos en oro y plata para que se gastaran en la jornada. El adelantado aceptó con gusto lo que su huésped ofrecía.

10 El doce de mayo De Soto, viendo que hacía buen tiempo, se embarcó para la Florida.[1] Ocho días después Hernán Ponce fué a ver al teniente de gobernador Juan de Rojas. Le entregó un documento en que juraba haber dado a doña Isabel diez mil pesos, añadiendo que si no lo hubiera hecho
15 así, el adelantado le habría quitado todo lo que él traía del Perú. En vista de ello exigía ahora que la gobernadora le devolviera el dinero.

Al oír esto doña Isabel respondió que entre Hernán Ponce y su marido había muchas cuentas que arreglar, y que, según
20 un documento que ella guardaba, Hernán Ponce le debía al adelantado cincuenta mil ducados, es decir, la mitad de la suma gastada ya para la jornada a la Florida. En vista de ello, ella mandaba que la justicia le prendiera. Cuando Hernán Ponce supo lo que doña Isabel había dicho, no perdió más
25 tiempo, y ese mismo día alzó velas y partió para España.

[1] From Florida De Soto marched northeast and north through what are now the states of Georgia and the Carolinas, almost to the southern boundary of Virginia. He then turned southwest and, after many reverses, reached the Mississippi in 1541. He died on the banks of the river in 1542, and was buried in it. The surviving members of his expedition descended the Mississippi and coasted along the Gulf of Mexico to Pánuco.

Garcilaso de la Vega, el Inca

CÓMO VIVÍAN LOS INCAS

Cuando Francisco Pizarro y sus trescientos soldados llegaron al Perú en mil quinientos treinta y dos, descubrieron y conquistaron el poderoso imperio de los incas, que había sido fundado en el siglo diez. En este vasto imperio, que no era más que un benévolo despotismo, los españoles hallaron una civilización que ya había revelado su extraño genio en la construcción de obras muy grandes, como carreteras, fortalezas, templos y palacios. El autor de este breve relato sobre los incas es el inca Garcilaso, el cual nació en mil quinientos treinta y nueve en la ciudad del Cuzco. Era hijo de una princesa peruana y de un conquistador. Muchas veces durante su niñez, había oído hablar a su madre de la pasada grandeza de los incas. A los veinte años de edad se fué a España, donde más tarde empezó a escribir sus Comentarios reales, *obra que es como un amoroso canto en prosa dedicado a la memoria de su raza.*

El arte de los palacios

El servicio y el adorno de los palacios de los Incas no eran de menos grandeza y majestad que todas las otras cosas que para su uso tenían. Hasta me parece que algunas veces excedían a todos los palacios de
5 los reyes y emperadores que ha habido en el mundo. La construcción de sus casas, baños, templos y jardines era cosa acabada y perfecta. Las piedras estaban tan bien labradas que al ponerlas juntas apenas podía distinguirse una de otra. A veces usaban una especie de mezcla que era como barro
10 colorado, de la cual no quedaba señal alguna entre las piedras.

En la construcción de las casas reales usaban por mezcla plata y oro líquidos, y oro para los techos de los templos del sol. Reproducían en estos metales la figura humana, figuras
15 de aves del aire y del agua, animales del monte tales como leones, tigres, gatos, perros, llamas y vicuñas. Imitaban todo género de plantas; hacían también serpientes grandes y pequeñas tan naturales que al verlas en los muros, donde las ponían, parecían estar subiendo y bajando por ellos.

20 El Inca se sentaba de ordinario en un asiento todo de oro, y de oro y plata era también su servicio de cocina. En cada casa real había depósito de todo lo necesario para servirle. Así es que cuando caminaba con su ejército o visitaba sus pueblos los criados no tenían que llevar servicio alguno. El
25 Inca usaba mucha ropa, y nunca se ponía el mismo traje dos veces. Su ropa blanca era toda de lana de vicuña y tan fina que los españoles la adoptaron para las habitaciones del rey Felipe Segundo.

En todas las casas reales había jardines y huertos donde los
30 dueños se paseaban y tomaban el fresco. Plantaban en ellos árboles hermosos y cuantas plantas de flores perfumadas conocían. Añadían luego a todo ello otra vegetación artificial que imitaban de la natural; hasta la planta del maíz con sus raíces, largas hojas y cabellos amarillos reproducían en oro y

plata. Hacían además pájaros de todas clases, algunos como si estuvieran en los árboles cantando, otros sacando miel de las flores, y otros preparándose para volar.

El baño de estas casas figuraba entre las cosas de mayor lujo. Era siempre de oro y plata, y el agua caliente que lo llenaba 5 venía por caños hechos de oro y plata también. Para el hogar los incas hacían con estos mismos metales montones de leña artificial. Esta leña, que colocaban junto al fuego, parecía tan natural como si la hubieran traído del monte. La mayor parte de estas riquezas fueron escondidas por ellos cuando vieron 10 que los españoles las buscaban. De tal manera las escondieron que nadie ha vuelto a encontrarlas. Yo he oído decir que si todo el tesoro que los incas escondieron pudiera juntarse, lo que los españoles tomaron resultaría en comparación una insignificancia. 15

Los criados de la casa real

Para cada oficio del palacio real el Inca señalaba no una persona particular sino un pueblo entero, el cual le enviaba luego los criados necesarios. Dar hombres hábiles y fieles era el único tributo que se exigía a tales pueblos. El descuido o negligencia de cualquiera de estos criados era delito de todo 20 su pueblo, y si el delito era contra la Majestad Real, se castigaba a todos los vecinos con más o menos rigor, y hasta se quemaba el pueblo. Los pueblos que así servían a la casa real eran los que más cerca estaban del Cuzco.

Para llevar al Inca en las andas de oro en que iba siempre, 25 habían escogido dos provincias que tenían más de quince mil habitantes. Los muchachos, al llegar a la edad de veinte años, empezaban a aprender a llevar las andas sin mecerlas, sin tropezar ni caer. Veinte y cinco mozos o más llevaban sobre sus hombros estas andas. De este modo, cuando alguno tro- 30 pezaba o caía, el Inca no lo notaba; pero el delincuente era luego castigado en público con rigor y a veces hasta perdía la vida.

Quiénes eran los chasquis

Los *chasquis* eran los mozos encargados de las órdenes del Inca y de llevar las noticias de una provincia a otra. Para facilitar la transmisión de éstas se construían chozas en terreno alto, en cada una de las cuales había cuatro o más corredores.
5 Cuando el *chasqui* paraba en la primera choza, otro tomaba el mensaje y continuaba la carrera a la segunda choza, y así sucesivamente. Cada choza estaba a un cuarto de legua de la otra, pues tal distancia era lo que uno de estos mozos podía correr muy ligero sin cansarse demasiado. Estos mensajes eran
10 orales, porque los indios del Perú no escribían. Las palabras eran muy pocas, porque siendo muchas podrían olvidarse. El corredor que iba con el mensaje daba voces al llegar a vista de la choza para que se preparara el otro que había de substituirle. Luego el *chasqui* repetía el mensaje dos o tres veces
15 hasta que su sucesor lo aprendía. Todo esto es muy semejante a lo que hace el correo español, que antes de llegar a un punto toca la bocina para que tengan listo el nuevo caballo en que ha de montar y seguir viaje. Cuando había necesidad de comunicar al Inca una noticia extraordinaria, los *chasquis* hacían de
20 choza en choza grandes fuegos día y noche.

Cómo contaban los incas

Otra manera de enviar mensajes era por medio de nudos hechos en hilos. Los hilos eran siempre torcidos y de dos pies de largo. Los incas los hacían de diversos colores. Unos eran de un solo color, otros de dos colores, otros de tres, y otros de
25 más. Cada uno de estos colores, solo o mezclado con otro, tenía su significación. Podrían indicar también la clase de gente, de armas, de vestidos, en fin, todo lo que fuera necesario preparar o enviar de un sitio a otro. Por ejemplo, el color amarillo podría indicar que se trataba de oro; el rojo,
30 que se trataba de guerra; el blanco, que se trataba de plata o de paz.

Además del color, el lugar ocupado por el hilo tenía su sentido especial. Cuando daban cuenta de las armas, ponían primero las lanzas, porque las consideraban las más nobles; seguían luego los arcos y las hondas, y por último las otras armas que quedaban. Cuando daban cuenta de los habitantes, 5 el primer hilo era dedicado a los ancianos de sesenta años o más; el segundo, a los hombres de cincuenta años arriba, y así sucesivamente. Los mensajes que iban en forma de nudos hechos en estos hilos seguían siempre un sistema establecido. Los nudos, según la parte del hilo en que estaban hechos, 10 representaban el número diez, el número cien, etcétera. El nudo que indicaba el número mayor estaba hecho en la parte más alta del hilo. A estos hilos con nudos los incas llamaban *quipus*, que quiere decir «hacer nudos».

Cuidaban de estos hilos indios llamados *quipucamayus*, que 15 quiere decir «encargados de las cuentas». Sólo eran elegidos para este oficio los que habían dado más larga prueba de buen carácter. En cada pueblo, por pequeño que fuera, había cuatro, y en las grandes ciudades había hasta treinta. El Inca prefería que hubiera muchos *quipucamayus* en cada pueblo 20 porque así habría menos errores en las cuentas. Estos *quipucamayus* apuntaban por medio de sus nudos todo el tributo que cada año daba cada pueblo. Llevaban cuenta también de los soldados que iban a la guerra y de la gente que moría y que nacía. Sin embargo, lo que se hacía en el campo de batalla y 25 en los consejos reales no pasaba a los *quipucamayus* sino a la memoria del pueblo, que por tradición oral lo comunicaba a sus hijos. Yo estudié los *quipus* con los indios de la hacienda de mi padre cuando por Navidad venían al Cuzco a pagar sus tributos. Algunos decían a mi madre que me hiciera examinar 30 sus cuentas para que los españoles no pudieran decir que eran falsas. De esta manera aprendí su sistema, usándolo luego tal como ellos lo hacían.

La ciencia que sabían los incas

No obstante su gran talento artístico, la ciencia que los incas sabían era muy poca. Esto se debía en parte a que no dejaban nada escrito. Sabían, sin embargo, que el movimiento del sol, o mejor dicho de la tierra, acababa en un año. Contaban los meses por la luna, es decir, de una luna nueva a otra, y pusieron nombre a cada mes. Sabían de los eclipses, pero no comprendían la causa. Cuando veían un eclipse solar, creían que el sol estaba enojado por algún delito cometido contra él. Cuando era la luna la que empezaba a verse negra, decían que estaba enferma y temían que se muriera y se cayera del cielo, con lo cual se acabaría el mundo.

Los incas, en cambio, sabían mucho de aritmética, y como hemos visto por el sistema de nudos que empleaban, sumaban, restaban, multiplicaban y dividían a la perfección. También sobresalían en geometría, quizá porque les era indispensable para medir sus tierras y construir sus ciudades y edificios. Asimismo de geografía local sabían mucho. Yo vi un modelo de barro, piedra y madera hecho por ellos de toda la provincia y ciudad del Cuzco, con sus cerros altos y bajos, sus llanos y barrancos. Allí estaban los cuatro caminos principales que conducían a la ciudad, sus plazas, sus calles anchas y estrechas, y los tres arroyos que por allí corren. Todo estaba tan bien medido y hecho con tal perfección que ni el primer artista del mundo lo hubiera podido hacer mejor.

De música no sabían gran cosa, aunque tenían flautas como las de los pastores. Sus cantos, en su mayor parte, eran cantos de amor. Cada canción tenía sus propias palabras y nunca la cantaban con otras. El enamorado hablaba siempre con la flauta a la dama de sus pensamientos. Una noche, algo tarde, cierto español halló en el Cuzco a una muchacha india que él conocía, y ofreciéndose a acompañarla a su casa, ella le dijo: «Déjame, castellano. ¿No oyes aquella flauta en el monte? Es el amor que me llama, y a él voy.»

La fortaleza del Cuzco

Maravillosos edificios hicieron los incas en el Perú, pero su obra mayor fué la fortaleza del Cuzco. Parece que la hicieron demonios y no hombres, a juzgar por su tamaño y el sitio en que se encuentra. Cómo pudieron cortar y arrastrar piedras tan enormes como las de esta fortaleza, es cosa que nadie ha 5 podido explicar todavía. Los incas no usaban hierro para labrar la piedra. No tenían caballos ni bueyes, y como no conocían la rueda, no tenían carros con que transportar nada. Todo tenía que hacerse a fuerza de brazos, usando cuerdas para sujetar las piedras al subirlas y bajarlas por las cuestas. 10 Edificaron la fortaleza en un alto cerro llamado Sacsahuaman. Levantaron primero tres muros, uno detrás de otro y en forma de media luna. Pasados estos tres muros, se entra en una plaza larga y estrecha donde hay tres torres. En la mayor de éstas hay una gran fuente cuya agua venía bajo 15 tierra por un arroyo artificial. En esta torre se quedaba el Inca cuando iba al cerro de Sacsahuaman.

En el llano frente a la fortaleza está la enorme Piedra Cansada. Dice la tradición que debido a la mucha fatiga que pasó en el camino hasta llegar allí, esta piedra lloró lágrimas 20 de sangre. La verdad es que traían la piedra más de veinte mil hombres, sujetándola con muy fuertes cuerdas. El camino por donde la llevaban era áspero y con muchos montes que subir y bajar. La mitad de la gente tiraba de las cuerdas hacia arriba, la otra mitad iba atrás sosteniendo la piedra para que 25 no rodara cuesta abajo. En una de aquellas cuestas el peso de la piedra venció la fuerza de los que la subían, y mientras rodaba cuesta abajo, mató cuatro mil indios. A pesar de esta desgracia, volvieron a subirla hasta dejarla en el llano donde ahora está. 30

La fortaleza del Cuzco

Maravillosos edificios hicieron los incas en el Perú, pero su obra mayor fue la fortaleza del Cuzco. Parece que la hicieron demonios y no hombres, a juzgar por su tamaño y el sitio en que se encuentra. Cómo pudieron cortar y arrastrar piedras tan enormes como las de esta fortaleza es cosa que nadie ha podido explicar todavía. Los incas no tenían hierro para labrar la piedra. No tenían caballos ni bueyes, y como no conocían la rueda, no tenían carros con que acarrear nada. Todo tenía que hacerse a fuerza de brazos y usando cuerdas para subir las piedras al sitio y bajarlas por las cuestas.

Edificaron la fortaleza en un alto cerro llamado Sacsahuamán. Levantaron primero tres muros, uno detrás de otro y en forma de media luna. Pasados estos tres muros, se entra en una plaza larga y estrecha donde hay tres torres. En la mayor de estas hay una gran fuente cuya agua venía bajo tierra por un [illegible] arcaduz. En esta torre se quedaba el Inca cuando iba al cerro de Sacsahuamán.

En el llano frente a la fortaleza está la enorme Piedra Cansada. Dice la leyenda que de tanto andar se cansó tanto que paró en el camino y que [illegible] lágrimas de sangre. La verdad es que traían la piedra más de veinte mil hombres, arrastrándola con muy fuertes cuerdas. El camino por donde la llevaban era áspero, con aquellos montes que subir y bajar. La mitad de la gente la [illegible] hacia arriba; la otra mitad iba atrás sosteniendo la piedra para que no rodara cuesta abajo. En una de aquellas cuestas, el peso de la piedra venció la fuerza de los que la subían, y mientras rodaba cuesta abajo, mató tres o cuatro mil indios. A pesar de esta desgracia, la volvieron a subir y quedó en el llano donde ahora está.

Alvar Núñez Cabeza de Vaca

EXPLORACIONES EN LA AMÉRICA DEL SUR

(1540–1543)

El conocimiento del carácter de los indios que Cabeza de Vaca había adquirido en la América del Norte y su natural arrojo le hacían persona ideal para el mando de la expedición que en mil quinientos cuarenta el rey enviaba a la América del Sur. Después de todo, si él había logrado atravesar el continente del norte, ¿qué obstáculos podrían ser las barreras naturales del otro? Así como en Norte América había visto el río más grande del continente, en Sud América vió las cataratas más grandes del hemisferio. Como entendía tan bien a los indios, se hacía amigo de ellos fácilmente, y a esto se debe en parte el éxito de su jornada desde la costa del Brasil hasta el interior del Paraguay. Cabeza de Vaca dictó sus Comentarios, *que tratan de su viaje a Sud América, al notario Pedro Fernández. A éste quizá debe la obra el papel importante que hace la naturaleza en ella.*

Cabeza de Vaca en la América del Sur

El grillo del milagro

Después que Dios nuestro Señor sacó a Alvar Núñez Cabeza de Vaca de los trabajos que tuvo en el continente del norte, éste volvió a España. Estuvo allí hasta mil quinientos cuarenta, y en noviembre de ese año salía del puerto de Cádiz, con título de gobernador, hacia las tierras del Plata. Su Majestad le enviaba a socorrer a los españoles que de la expedición de Pedro de Mendoza a aquellas partes se hallaban en Asunción. El gobernador llevaba cuatro naves, cuatrocientos hombres y treinta caballos.

Durante las once semanas que duró la travesía no hubo desgracias; pero ya casi terminado el viaje, todos nos vimos en peligro de muerte. Como hacía buen tiempo y toda la gente dormía, nadie notó unas rocas que había junto a la costa, con las que las naves estaban a punto de chocar. De repente comenzó a cantar un grillo que un soldado nostálgico y enamorado de su música había traído a bordo. Durante todo el viaje el grillo no había cantado, pero aquella noche, adivinando quizá que la tierra estaba cerca, principió a cantar otra vez. Su canto despertó a algunos de los marineros y éstos, viendo el peligro en que estábamos, anclaron al instante, evitando así chocar con aquellas rocas. Entre todos esto se tuvo por un milagro que Dios había hecho en beneficio nuestro. En adelante, mientras navegábamos junto a la costa, el grillo no cesó de cantar, y todas las noches nos daba su música.

En la isla Santa Catalina

Las naves entraron por fin en una honda y ancha bahía llamada Cananea. El gobernador tomó posesión de la tierra en nombre del rey, y saliendo luego de allí desembarcó con toda la gente en la isla de Santa Catalina.

Mientras tanto habían llegado a Santa Catalina nueve soldados que habían abandonado a Buenos Aires, huyendo de la tiranía de ciertos capitanes españoles. Por ellos supo Cabeza de Vaca que había aún en Buenos Aires unos setenta cristianos, pero que la mayor parte de ellos se habían marchado de allí y vivían ahora en Asunción. Al oír esto le 5 pareció que en seguida debería salir de la isla y buscar camino por tierra firme hacia donde estaban los cristianos; no sólo para socorrerlos sino también para explorar aquella tierra que no se había visto ni descubierto. Dejando en la isla ciento cuarenta hombres para que luego fueran a Buenos Aires por 10 mar, con el resto de la expedición y algunos indios por guías, llegó a tierra firme y comenzó a marchar hacia Asunción.

Por tierra de muchos ríos

Al comenzar la quinta semana de marcha, vimos un río que los indios llaman *Iguazú*, que quiere decir «Agua Grande». Hasta aquí la jornada no había sido muy dura, pues cuando 15 nuestras raciones se acabaron, los guaraníes que pueblan la región comenzaron a traernos provisiones. Hasta para nuestros caballos, que ellos miraban con mucho temor, nos traían gallinas y miel. Durante las semanas que siguieron estuvimos caminando hacia el noroeste por tierra despoblada. Hicimos 20 esta parte de la jornada con gran dificultad debido a los muchos ríos que tuvimos que pasar. Hubo días en que fué necesario construir diez y ocho o más puentes.

Hay en las montañas de estas partes inmensos bosques de pinos, muchos de ellos tan gruesos que no bastan cuatro 25 hombres con los brazos abiertos para abrazar un tronco. Los piñones son del tamaño de bellotas y de exquisito gusto. Los monos suben a los pinos, y colgando por la cola en las ramas, con pies y manos empiezan a echar al suelo cuantos piñones alcanzan. Mientras los monos están en las ramas haciendo su 30 trabajo, abajo están los cerdos monteses, esperando que caigan los piñones para comérselos. Los monos no se atreven a bajar mientras los cerdos están allí, pero desde las ramas expresan su enojo con una sucesión de gritos displicentes.

El último día del mes de enero de mil quinientos cuarenta y dos, vimos otra vez el Iguazú; pero ahora estábamos cerca de donde este río entra en el Paraná. Para no caer en manos de tribus hostiles, el gobernador envió corredores por tierra hasta donde ambos ríos se juntan, mientras él con los demás iba río abajo en algunas canoas que antes había comprado a los indios. Muy cerca de donde se embarcó, el río salta por unas peñas muy altas. El agua da tan gran golpe al caer que se oye de muy lejos, y la espuma sube en alto dos lanzas o más.[1] Aquí nos vimos obligados a llevar las canoas en los hombros hasta que dejamos la catarata atrás.

Emprendiendo otra vez por tierra todos juntos la marcha hacia el oeste, caminamos muchas leguas y llegamos por fin a Asunción. Toda la gente de la ciudad salió a recibirnos con gran alegría, diciendo que era un milagro que hubiéramos llegado sanos y salvos por tal camino. El gobernador, viendo la miseria en que vivía la gente, comenzó por dar ropas a los que estaban desnudos, armas y provisiones a todos. Abolió las contribuciones que le parecieron injustas, y mandó que los encargados del gobierno trataran sin violencia al pueblo, que con razón se quejaba de la autoridad.

Exploración de las tierras del norte

Viendo el entusiasmo con que el teniente de gobernador Domingo de Irala hablaba de las tierras del norte, en que había visto oro y plata, y el empeño que mostraban sus capitanes por verlas, Cabeza de Vaca salió a explorarlas al sexto mes de su entrada en Asunción. Llevaba diez bergantines que había mandado hacer allí, cuatrocientos soldados españoles y más de mil guaraníes, que iban en ciento veinte canoas. Estos venían muy pintados, llevaban muchas plumas, y en la frente unas planchas de metal que brillaban mucho cuando el sol caía en ellas. Según ellos, las planchas deslumbraban al

[1] The cataracts of Iguazú are at the point where Argentina, Brazil and Paraguay meet. They are 210 feet high, and wider than Niagara and Victoria combined.

enemigo y hasta le quitaban la vista. El gobernador mandó que los indios no se apartaran de los bergantines y que pasaran las noches en la orilla del río. Los fuegos que hacían eran tantos que daba gusto verlos.

Subiendo por el río Paraguay, llegamos a Candelaria un mes después de salir de Asunción. Fué aquí que había muerto cinco años antes, a manos de los feroces payaguayes, el capitán Juan de Ayolas y sus ochenta soldados que formaban parte de la expedición de Pedro de Mendoza. A poco de nuestra llegada se acercaron al real siete mensajeros a decir que su cacique nos daría lo que había quitado a Ayolas si le ofrecíamos nuestra amistad. El gobernador, por los mismos mensajeros, invitó al cacique a venir a verle; pero como el tiempo pasaba y él no venía, salimos a buscarle río arriba.

Cuando las aguas de esta región están bajas, los naturales viven en las orillas de los ríos; pero tres veces al año las aguas comienzan a subir y se extienden por aquellas tierras hasta que parecen un mar. Para este tiempo tienen los indios unas canoas muy grandes. En medio de ellas echan barro y piedras para hacer el fogón con el que cocinan y se calientan. Luego meten en las canoas a sus mujeres y chicos y dejan que la corriente los lleve dondequiera. Así pasan cada año cuatro meses, viviendo muy felices, sin trabajar y comiendo lo que el río les da.

Seis semanas después de salir de Asunción, y habiendo decidido ya no perder más tiempo buscando al cacique, llegamos a un lugar donde el río se divide en tres brazos, uno de los cuales forma un lago de agua negra. De allí fuimos a parar a la boca de otro río que entraba en el nuestro por la izquierda. En este sitio pusimos tres cruces altas para que los que venían atrás entraran por aquella boca. Al llegar a otro lago nos detuvimos hasta que volvieron ciertos mensajeros que habíamos enviado río arriba a anunciar nuestra visita a los indios. Como ahora las naves tocaban fondo, no hubo más remedio que llevarlas en nuestros hombros hasta donde el agua fuera más honda. Nos costó muchísimo trabajo pasar los bergantines, sobre todo el *San Marcos*, que era el más grande. Desembarcamos por fin en el puerto de los Reyes,[1] y en seguida levantamos la cruz debajo de unas palmas.

Murciélagos vampiros y hormigas bravas

Los indios de esta región siembran maíz y mandioca cada seis meses. Tienen también muchas gallinas, las cuales encierran de noche por miedo a los murciélagos vampiros, porque éstos les cortan las crestas y sin remedio mueren. Estos vampiros son mala cosa. Hay por el río muchos de ellos que no son mayores que las tórtolas. Muerden de noche y no aparecen de día. Muerden a los hombres siempre en la punta del dedo o la nariz, y en las orejas a los caballos. Estos, si un murciélago entra donde están, se asustan tanto que con sus relinchos despiertan a todo el mundo. Los vampiros cortan tan bien con los dientes que la persona mordida no lo siente en el momento. El gobernador fué mordido en un dedo del pie por un vampiro mientras dormía una noche en un bergantín con el pie descubierto. Como había echado sangre durante la noche, al despertar por la mañana y ver las manchas en la cama, creyó que alguien le había herido. Al verle buscarse la herida por todo el cuerpo, los que estábamos en el bergantín nos reímos mucho.

Hay aquí también, entre otras calamidades, unas hormigas muy grandes. Algunas son rojas y otras negras. El que es mordido por ellas está todo un día y una noche gritando como un loco, y hasta que pasan veinte y cuatro horas no hay remedio que cure el dolor. En las lagunas hay abundancia de rayas, y a menudo los que salen a pescar vuelven heridos en el pie por una especie de alfiler muy largo que ellas llevan. Los indios, sin embargo, conocen una hierba que ponen sobre la herida y que quita el dolor.

Los naturales de esta tierra son de estatura media. Como les

[1] So called by Domingo de Irala because he first saw it on January 6, which is Epiphany or the day of the Three Wise Men, known in the Spanish-speaking world as the Three Kings.

gusta tener las orejas largas, las perforan y meten en ellas unas calabazas pequeñas, las cuales sacan luego para introducir otras mayores. Así se hacen las orejas tan grandes que con el tiempo les llegan a los hombros. Estos indios, cuando pelean, 5 se quitan las calabazas que traen en las orejas y se atan las puntas detrás de la cabeza.

Estuvimos tres meses en el puerto de los Reyes. Para esta época llovía mucho y las aguas inundaban toda la región. Como el calor y los malditos mosquitos, que eran legión, 10 enfermaban a la gente, el gobernador determinó volver río abajo hacia Asunción. Siete meses después de haber salido de esta ciudad, volvía a entrar en ella, con toda la gente enferma y muriéndose de hambre.[1]

[1] From the moment of his arrival in Asunción, Cabeza de Vaca had defended both Spaniards and Indians against the extortions of a clique of greedy officials headed by Domingo de Irala. After he returned from his explorations, these officials, taking advantage of his illness, arrested him and seized his belongings, including a chest with a triple lock which contained charges that he was preparing against them. They then confined him, fettered and guarded, in a hut so damp that grass grew under his bed. In spite of their precautions he communicated with his friends outside through an Indian woman who was allowed to bring him food. Every third night she carried a little roll containing a note, thin paper, and a powder which, when moistened, became ink, the whole covered with black wax and tied with black thread between her toes. After holding Cabeza de Vaca for eleven months, his captors trumped up charges against him and sent him to Spain in charge of two of their number. His friends, however, hollowed out a timber, put into it letters to the king, and had it nailed to the stern of the ship which, they said, needed reinforcement. This secret was known to only one sailor on the ship. When they reached Spain both Cabeza de Vaca and his accusers were put in prison. He was deprived of his office by the Council of the Indies and banished to Orán, Africa. After eight years he was absolved, recalled and given a yearly income of two thousand ducats, but he was forbidden to return to the Plata region.

Fray Gaspar de Carvajal

FRANCISCO DE ORELLANA BAJA POR EL AMAZONAS (1540–1541)

El Amazonas es el río más grande del mundo.[1] *Nace no muy lejos de la costa del Pacífico y atraviesa casi todo el continente de Sud América. El área de su cuenca es tan grande como la de Australia. Los primeros españoles lo llamaron* El Mar Dulce.[2] *Es la única ruta que conduce a las vastas regiones del interior, no exploradas aún y que son fuente de riquezas incalculables. No es extraño, pues, que más de un capitán español bajara por el Amazonas en busca de oro y especias. El nombre de Francisco de Orellana recordará siempre el gran río. El le puso el nombre que lleva ahora, y él y sus compañeros fueron los primeros europeos que bajaron por él hasta la boca. El relato oficial de su célebre jornada fué escrito por Fray Gaspar de Carvajal, que formaba parte de la expedición.*[3]

[1] In volume, although it is exceeded in length by the Mississippi-Missouri system.

[2] The river was discovered in 1500 by Vicente Yáñez Pinzón, who ascended it to a point about fifty miles from the sea. He called it *río Santa María de la Mar Dulce*, which was soon shortened to *Mar Dulce*. Other early names given the river are *río Grande* and *río Marañón* (Big Tangle). The first complete ascent of the Amazon was made in 1638 by the Portuguese Pedro Texeira who, reversing Orellana's procedure, eventually reached Quito.

[3] Although opinions differ as to the exact location of Gonzalo Pizarro's camp and the dominions of Aparia and the Amazons, they are placed in the map on page 96 according to José Toribio Medina's *The Discovery of the Amazon*, American Geographical Society, 1934.

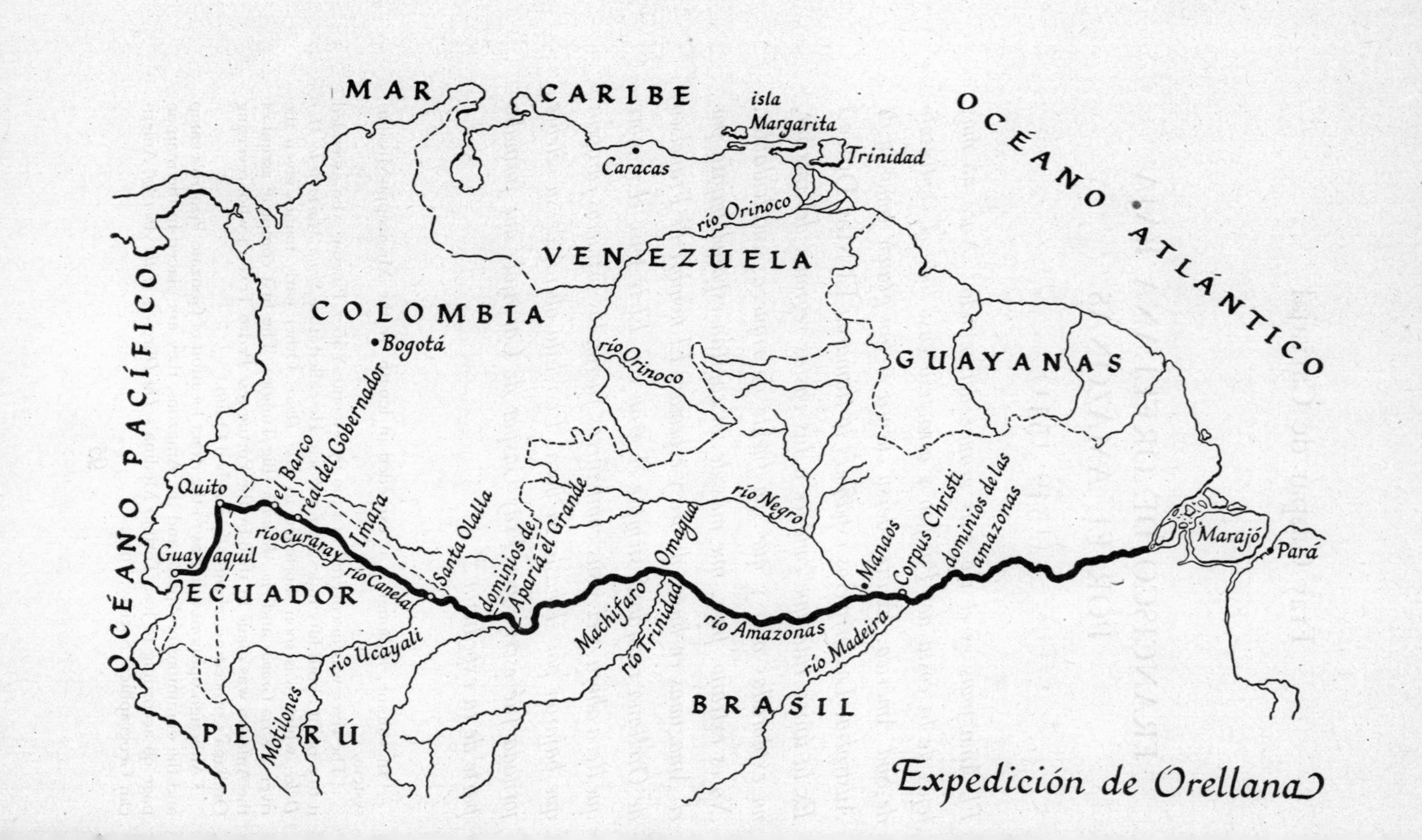
MAR CARIBE
isla Margarita
Trinidad
Caracas
OCÉANO ATLÁNTICO
río Orinoco
VENEZUELA
COLOMBIA
Bogotá
río Orinoco
GUAYANAS
OCÉANO PACÍFICO
Quito
el Barco
real del Gobernador
Imara
río Curaray
Guayaquil
río Canela
Santa Olalla
dominios de Apariá el Grande
Omagua
río Negro
Manaos
Corpus Christi
dominios de las amazonas
Marajó
Pará
ECUADOR
río Ucayali
Machifaro
río Trinidad
río Amazonas
río Madeira
BRASIL
Motilones
PERÚ
Expedición de Orellana

Orellana se separa del real

En mil quinientos cuarenta salía de Quito una gran expedición organizada por Gonzalo Pizarro para explorar la tierra de la Canela.[1] Llegaba al Barco, último punto español del Perú, a fines del mismo año. A poco de estar allí, cincuenta y siete de nosotros, bajo el capitán Francisco de Orellana, seguimos adelante río abajo a ver si hallábamos pueblos indios en que conseguir provisiones. Navegamos primero cuatro días, y no viendo pueblo en ninguna parte, determinamos volver, pues nos habíamos separado más de lo justo de la expedición y consumido las provisiones que llevábamos. Pero ¿cómo íbamos a volver? Subir por el río era imposible; estaba crecido, y la corriente era muy fuerte. Si marchábamos por tierra, moriríamos de hambre en el inmenso despoblado que quedaba atrás. Ante tal dilema no había más alternativa que seguir bajando por la corriente. Como ya no teníamos raciones, algunos empezaron a comerse el cuero de los zapatos, cocido con ciertas hierbas. Otros fueron al bosque a ver lo que hallarían, y de ellos algunos, que se comieron ciertas raíces desconocidas, estuvieron a punto de morir.

Así pasamos la primera semana, hasta que el día de año nuevo nos pareció oír no muy lejos toque de tambores. Con esto nos animamos mucho, porque sabíamos que entrábamos en región poblada, y que no moriríamos de hambre. En efecto, nos acercábamos a uno de los pueblos de la provincia de Imara. El capitán mandó que toda la gente saltara a tierra, y los indios, al vernos, abandonaron las casas y huyeron. Más tarde, sin embargo, empezaron a volver. Orellana, que en-

[1] It was known that cinnamon trees grew on the slopes of the Andes east of Quito. Gonzalo Pizarro hoped that the spices might be gathered along the banks of the Marañón and taken by way of the river to Europe. However he found relatively few trees, far apart and in difficult terrain. Although their leaves and flower buds tasted of cinnamon, their bark and roots tasted of nothing but wood. He sent some flower buds to the king, but said he thought the cinnamon would not yield a profit commensurate with the difficulty of obtaining it.

tendía algo de sus dialectos, les habló y les dió varios regalos. Abrazó al cacique y éste, muy alegre al verse tan bien tratado, nos trajo luego carne, pavos y pescado de muchas clases.

Construcción de un bergantín

Después que matamos el hambre que había estado matándonos, el capitán nos llamó a consejo para decirnos que era necesario construir otro bergantín. Con el que teníamos, aunque llegáramos a la boca del río, no bastaría para continuar el viaje por mar. Sin esperar más tiempo comenzamos a trabajar. Tomando la necesidad por maestra, unos hacían carbón, otros cortaban madera, y aun otros hacían clavos de las cadenas y demás cosas de hierro que podían hallar. El capitán tomaba parte en todo. Era maravilla ver la diligencia con que en estos días se ayudaban unos a otros. Con tanto afán trabajaban que en veinte días habían hecho dos mil clavos y otras cosas que ordinariamente les hubieran tomado un mes. Sin embargo, el capitán creyó mejor construir el bergantín en otro sitio, donde hubiera más material y más comida.

Estuvimos en Imara casi un mes, con la esperanza siempre de recibir noticias de Gonzalo Pizarro. Un día el capitán ofreció mil castellanos a seis soldados cualesquiera que estuvieran dispuestos a volver al real, pero nadie se ofreció, sabiendo todos que la vuelta era imposible.[1] Por fin, como ya siete soldados habían muerto de hambre, resolvimos seguir viaje. Abandonamos a Imara el primero de febrero, y temiendo el gran despoblado que, según los indios, había río abajo, resolvimos no parar hasta que viéramos otro pueblo. Once días después nos hallamos en un sitio en que un río se juntaba con el nuestro por la derecha.[2] Venía con gran furia y traía en su corriente buen número de árboles caídos. Pusimos

[1] Orellana is often spoken of as a traitor who deserted Gonzalo Pizarro's expedition to seek his own ends. This account indicates, on the contrary, that he made every possible effort to rejoin his leader.

[2] The Ucavali.

el nombre de *Santa Olalla* a este sitio porque habíamos entrado allí el once de febrero, que es el día de esta santa.

En este punto, después de clavar la cruz y de tomar posesión de la tierra, principiamos a construir el bergantín para el que ya habíamos hecho los clavos y recogido material en Imara. 5 Entre nosotros no había gente acostumbrada a trabajar con las manos, pero el Señor daba a cada uno ingenio y paciencia para hacer lo que debía. Mientras unos iban al bosque a cortar más madera y a traerla en las espaldas, otros hacían más carbón y más clavos. Otros tenían que quitar los mosquitos a 10 los que trabajaban, usando grandes abanicos de plumas que los indios habían hecho para este fin. Los mosquitos eran tantos y tan insoportables que no nos dejaban en paz a ninguna hora del día ni de la noche. Hasta cuando nos sentábamos a la mesa era necesario hacerlo por turno para que 15 cuando unos comieran otros los abanicaran. A pesar de todo, se terminó el bergantín cinco semanas después de haberlo comenzado, y esto se hizo sin trabajar los domingos ni los días de fiesta. Los indios nos ayudaron mucho trayéndonos la resina de los árboles para hacer la brea con que calafatear la 20 nave.[1]

A fines de abril, mientras hacíamos nuestros preparativos para marcharnos, el gran cacique Aparia, en cuyos dominios estábamos, vino a visitarnos. Nuestro capitán le trató con el respeto que merecía y le hizo varios regalos. Cuando Aparia 25 supo que nos marchábamos, nos dijo que río abajo estaban los dominios de las amazonas, que él llamaba «grandes señoras».[2] Nos aconsejó que no paráramos allí porque, siendo ellas muchas y nosotros pocos, moriríamos a sus manos. El capitán

[1] Orellana was probably the first white man to use South American rubber.

[2] The Amazons, as known to classical antiquity, were a legendary race of female warriors living near the Black Sea whose raids took them as far as Asia Minor, Arabia and Egypt. Columbus was told that some such race lived in the West Indies (see *Diario del primer viaje*, page 9), and Amazons were reputed to live in other parts of America. Carvajal's account of his first hand acquaintance with warlike ladies may be fairly accurate: it was not unheard of for Indian women to lead their men in battle. For the information about the Amazons which he passed on as hearsay he cannot be held responsible.

contestó que, aunque de lejos, debería verlas, pues era su obligación dar al rey, su señor, cuenta de todo.

A medida que navegábamos, el agua del gran río parecía más roja y su corriente era tan fuerte que no podíamos parar
5 en ninguna parte. Sin embargo, a principios de mayo logramos entrar en un gran remanso donde nos detuvimos unas horas a pescar. Aquí sucedió algo tan extraordinario que, si yo no lo hubiera visto, no me atrevería a contarlo. Uno de los soldados tiró a un pájaro que vió en un árbol, pero por desgracia
10 la nuez de la ballesta saltó de la caja[1] y cayó en el agua. Esto nos dejó a todos muy tristes porque sin la nuez la ballesta era inútil, y en verdad teníamos poquísimas ballestas. Aquella misma tarde, antes de obscurecer, otro compañero sacaba un enorme pez del río y al abrirlo, halló dentro la nuez de la ba-
15 llesta. Así pudimos reparar el arma que íbamos a necesitar tan pronto, porque después de Dios, las ballestas eran nuestra salvación.

En tierras de Machifaro

Hacia el doce de mayo entrábamos en la provincia de Machifaro, con cuyas tribus tuvimos que luchar más que con
20 ningunas otras. Mientras nos acercábamos al primer caserío, vimos venir río arriba muchísimas canoas pintadas de colores muy vistosos. Estaban llenas de guerreros que llevaban escudos de cuero casi tan altos como ellos. Pronto vimos dividirse las canoas en dos líneas y comprendimos que su objeto era coger-
25 nos en el medio. Nuestro capitán, sin perder tiempo, mandó tener listos arcabuces y ballestas; pero como la pólvora estaba húmeda, no fué posible usar los primeros, quedando nuestras

[1] "The nut sprang out of the lock." The *nuez* was a projection from the lock of a crossbow serving to detain the string until released by the trigger. The crossbow was used to shoot square-headed steel bolts called "quarrels." It consisted of a steel or horn bow set transversely upon a stock which contained a groove to guide the bolt, a notch to hold the string of the bow and a trigger to release it. The bow was often so stiff that a mechanical contrivance was needed to bend it and adjust the string to the notch. A crossbow could not be discharged oftener than twice a minute, but its bolts were sent with such force that they could penetrate ordinary armor.

vidas al amparo de las ballestas. Con su ayuda, logramos desembarcar y poner en fuga al enemigo. Luego Orellana, que había resuelto pasar cinco o seis días en aquel sitio, envió un mensajero a buscar provisiones. Apenas hubo vuelto el mensajero a decir que en aquel lugar había mucha comida y que había conseguido mil tortugas, cuando los indios empezaron a volver. Peleamos con ellos más de dos horas, y aunque no nos vencieron, nos hirieron diez y ocho hombres. El capitán, viendo la muy fea situación en que estábamos, creyó que no debíamos exponernos sin necesidad y mandó que lleváramos a bordo los heridos y las provisiones que habíamos hallado. Los que no podían andar eran envueltos en mantas y llevados en las espaldas de otros soldados como si fueran sacos de maíz. Esto se hizo para que los indios no supieran cuántos nos habían herido. Así volvimos a bajar por el inmenso río.

Por fin llegamos a la provincia de Omagua, descansando la primera noche en un lugar fortificado, donde comimos un excelente pan de maíz y yuca. Un poco más abajo y a mano derecha descubrimos un lindo río que llamamos *Trinidad* por las tres islas que tenía en la boca. Cien leguas más al este vimos otro río de impetuosa corriente y agua tan obscura que por eso lo llamamos el río *Negro*. Este río bajaba con tal violencia que durante veinte leguas se veía la ancha raya negra de su corriente en el medio de la corriente de nuestro río.

En los dominios de las amazonas

Llamamos *Corpus Christi* al primer poblado indio que descubrimos el día siete de junio. Contra su voluntad, pero por complacer a los compañeros que querían celebrar la fiesta en tierra, Orellana consintió en parar allí unas horas. Al anochecer y mientras nos sentábamos a cenar, los indios del pueblo nos rodearon. Uno de ellos nos dijo que eran vasallos de las amazonas, a quienes daban en tributo plumas de papagayos para adornar sus templos.

La mañana próxima, mientras seguíamos la jornada, vimos muchas casas blancas. Aquí algunos de los vecinos se nos acercaron en sus canoas. Nos dijeron que nos hallábamos en los dominios de las amazonas y que venían a prendernos para llevarnos a ellas. Nuestro capitán dió orden en seguida que anclaran los bergantines. A esto siguió más de una hora de lucha tan incierta como difícil porque los indios peleaban mezclados con nuestros soldados. Como habían sido advertidos de nuestra llegada, y eran vasallos de las amazonas, habían acudido a ellas a buscar ayuda. Así tuve la suerte de ver a diez o doce de estas mujeres. Iban al frente de los hombres, como capitanes, y tal era su autoridad y valor que los hombres no se atrevían a volver la espalda, pues las mujeres mataban a palos al que huía. Eran blancas y muy altas y tenían el pelo muy largo. Con arco y flecha cada una de ellas valía por diez hombres. Una vi yo cuyas flechas penetraban ocho pulgadas en el costado de mi bergantín. Las otras imitaron su ejemplo, y en poco tiempo cada una de las naves parecía un puercoespín.

Cuando los indios vieron que nuestros soldados habían herido algunas de aquellas mujeres, empezaron a perder ánimo; pero como luego comenzaron a llegar nuevos guerreros, el capitán mandó que embarcáramos a toda prisa, y aquella tarde misma abandonamos el pueblo. En la batalla capturamos un joven indio que nos contó muchísimas cosas acerca de las mujeres con quienes habíamos peleado. Según él, su capital se halla al nordeste y a siete jornadas del río. Tienen al menos setenta pueblos, y entre pueblo y pueblo hay caminos con guardas que velan siempre para que nadie entre sin pagar tributo. En los pueblos de estas mujeres no hay más hombres que los que van allí a hacer negocios, y aun éstos tienen que estar fuera de sus pueblos al ponerse el sol. Su reina se llama Coñorí.

Las amazonas llevan anchas coronas de oro y viven en grandes casas de piedra, siendo de oro y plata también el servicio de cocina de las ricas. Su ciudad principal es una de templos dedicados al sol y edificios con techos pintados de varios colores. El animal más común de sus tierras es la oveja grande del Perú, abundando así la lana, de la cual hacen finísimos vestidos.

Continuamos bajando por el río, parando de vez en cuando para buscar comida. Cierto día vimos en cien canoas unos indios muy altos que tenían el pelo cortado y el cuerpo pintado de negro. Como su arma favorita era la flecha envenenada, el que por desgracia era flechado moría sin remedio. Nosotros, temiendo ser en adelante atacados con estas flechas, paramos día y medio junto a unos robles para añadir barandas a las naves y cubrirlas luego con las mantas de lana y algodón que llevábamos. Mientras nos ocupábamos en esta obra, un pájaro comenzó a cantar desde un vecino árbol, y entendimos que decía: «¡Huir, huir, huir!»

Llegando al mar

Notando ahora que la marea subía, nos animamos mucho, pues esto indicaba que el mar estaba cerca. Ya no veíamos más que tierra baja, y en el río islas y más islas. Eran tantas que en verdad era necesario ser muy buen piloto para no estrellar la nave en una de ellas. Aunque habíamos perdido por completo la tierra firme a ambos lados del río, seguimos en busca de un lugar donde poder reparar los bergantines. Hallamos por fin una hermosa playa, y allí estuvimos catorce días preparando los bergantines para salir al mar. Les pusimos palos, cordaje hecho de los bejucos del bosque, y velas hechas de las mantas en que habíamos dormido. Luego continuamos viaje. Como hacía viento y navegábamos ahora a la vela, pronto llegamos a la boca, pasando entre dos islas que distaban cuatro leguas una de otra. La corriente del río seguía veinte y cinco leguas mar adentro, haciendo toda el agua dulce. Seguimos navegando al noroeste, unas veces muy cerca de la costa y otras a tal distancia que nos era imposible verla. Una noche el otro bergantín se apartó tanto de nosotros que lo creímos perdido. Orellana, sin embargo, siguió costeando y por fin, sin saber cómo, nos hallamos en la isla Margarita, adonde dos días antes había llegado también el otro bergantín.[1]

[1] In 1544, after Orellana had returned to Spain, the king commissioned him to fit out an expedition of four ships and four hundred men for further exploration and settlement of the Amazon region, called "New Andalusia." The king gave him the title of *adelantado*, but no financial aid. Orellana, although he was unable to meet all the king's requirements for the expedition, finally sailed, with insufficient supplies and without the permission of the Council of the Indies. Before he left the Cape Verde Islands he had lost 148 men; he lost one ship and a brigantine on the way across the Atlantic. When he knew from the presence of fresh water that he was near the Amazon, he anchored between two islands (with cannon, for he had no anchors). Then, leaving some of his men behind, he began a search for the main channel. He never found it. Discouraged, ill and grieving over the loss of a number of his companions at the hands of the Indians, he died somewhere on the river. His wife, who had sailed with him, and some other members of the expedition, eventually reached Margarita Island.

Pedro de Valdivia

COLONIZACIÓN DE CHILE

(1539–1550)

La conquista de Chile, menos romántica quizá que las de México y el Perú, fué sin embargo más difícil y tomó más tiempo. Chile era, de todas las regiones del Nuevo Mundo, la más remota y la de más difícil acceso. Los que querían ir allá por tierra desde el Perú tenían que empezar por atravesar el terrible desierto de Atacama. El viaje por mar resultaba ser casi tan largo y peligroso. Además, la tierra se hallaba muy poblada, y sus indios, en particular los de Arauco, eran los mejores guerreros del continente. A pesar de estas dificultades, como Valdivia había ido a Chile a quedarse y a fundar una colonia permanente, consideraba pasajeros los reveses de la fortuna y nunca dudó del éxito de su jornada. Las páginas que siguen no son más que un breve resumen de las cinco cartas que el conquistador le escribió a Carlos Quinto desde Chile.

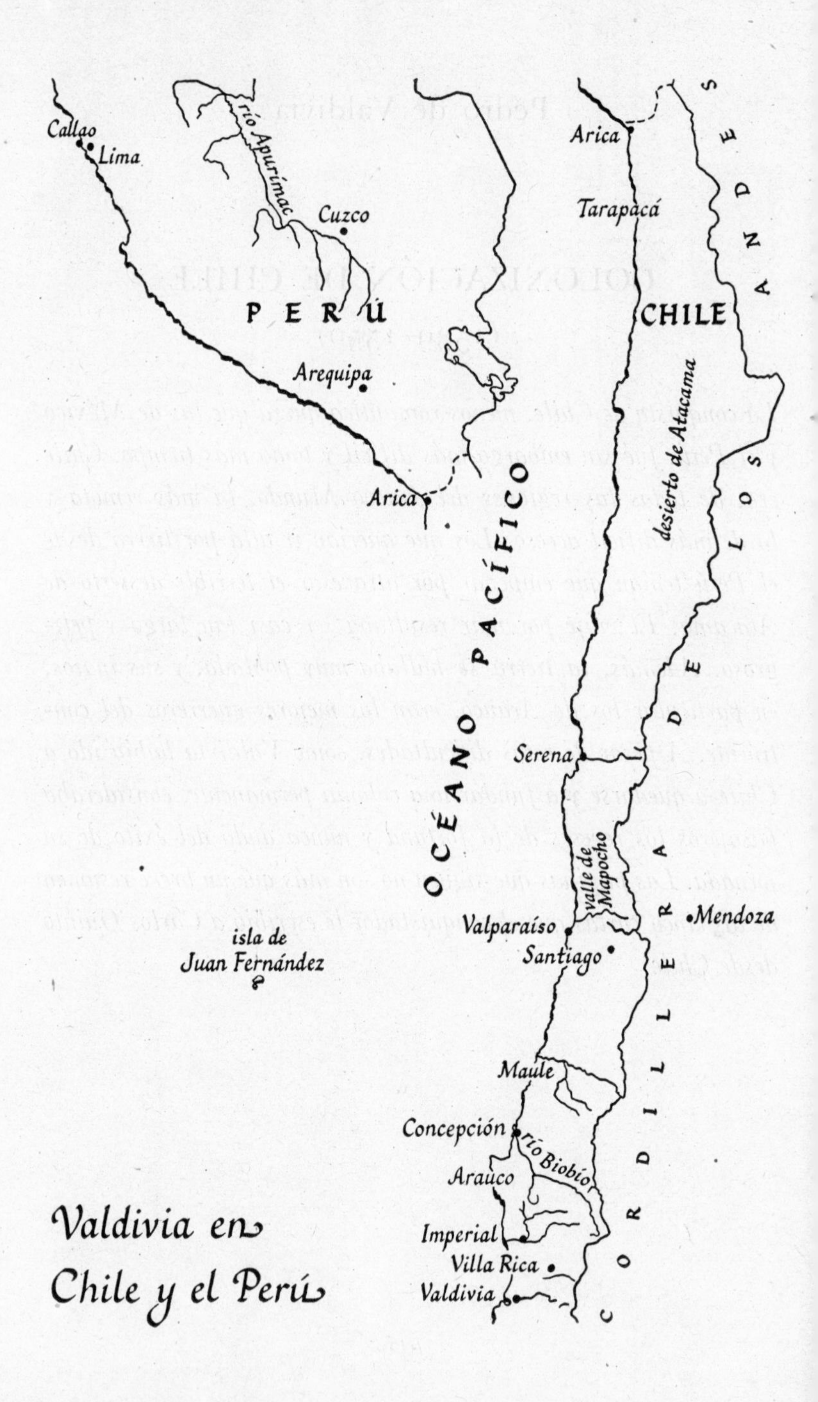

Valdivia en Chile y el Perú

Fundación de Santiago de Chile

En el mes de abril del año[1] que estuve en la ciudad del Cuzco, el marqués Francisco Pizarro me encargó la conquista del territorio de Chile. Otro capitán español,[2] antes que yo, había intentado realizarla, pero fracasó a pesar de haber gastado medio millón de pesos 5 en la empresa. Yo hallé muy difícil conseguir gente que me acompañara, pues nadie quería ir conmigo después de oír lo que los soldados de mi precursor decían de aquellas tierras. No obstante, con el tiempo reuní un pequeño ejército, y a fines del siguiente año entraba en el valle de Mapocho. Aquí, 10 con la ayuda de los indios, fundé la ciudad de Santiago el día doce de febrero de mil quinientos cuarenta y uno.

Como sabía por experiencia que no podría contar siempre con la lealtad de los indios, organicé bien la vigilancia, y mandé guardar con cuidado las provisiones. Más tarde, sin 15 embargo, algunos de los soldados de mi precursor que habían venido conmigo se juntaron con los indios, atacaron el pueblo y nos dejaron sólo tres cerdos, una gallina, un gallo y cien granos de trigo.

Comprendiendo que la falta de comida iba a ser la causa 20 de nuestra ruina si no lo remediaba, traté de prestar más atención a la agricultura, pero sin descuidar la vigilancia. Durante el día todos cultivaban el terreno, pero siempre con sus armas y caballos listos para pelear en caso de necesidad. Terminada la siembra, la mitad de los hombres se quedaba 25 a velar los campos y la otra salía a explorar.

Dos años después de la fundación de Santiago llegó a Valparaíso un navío lleno de armas y provisiones que del Perú

[1] 1539.

[2] Diego Almagro left for Chile by way of the cordillera in June, 1535, with 550 Spaniards and thousands of Indians. In the journey he lost ten thousand Indians and 150 Spaniards. During his absence the king made him governor of 100 leagues of territory south of Pizarro's, including Cuzco. When he returned, Pizarro refused to recognize his right to govern that city. In the civil war that followed, Almagro was captured and put to death.

me enviaban con el piloto Juan Bautista Pastene. Para esta época los tres cerdos que el enemigo nos había dejado eran más de ciento. También la gallina tenía tantos pollos que era imposible contarlos, y los cien granos de trigo que habíamos sembrado habían producido muchas fanegas.

Esta tierra de Chile es tal que no hay otra mejor en todo el mundo. Es bella, saludable, muy fértil y de agradable clima. Son sólo cuatro los meses del invierno, y aun durante esta estación el sol calienta lo bastante para no tener que hacer fuego en el hogar. Los veranos son templados, y las brisas que entonces soplan son tan frescas que uno puede pasar al sol el día entero sin fatigarse. Es tierra ideal para ganado de todas clases, pues abundan los campos de hierba verde. Los árboles de sus bosques ofrecen excelente madera para la construcción de casas, y hay además minas de oro y plata. Tal es el encanto de esta tierra que me parece que Dios la ha hecho para su propio gozo.

La traición de Ulloa

A poco de la fundación de Santiago fundé la ciudad de la Serena, para hacer menos duros los viajes al Perú. Para esta época los indios y españoles que trabajaban en las minas del valle de Mapocho habían sacado oro por valor de sesenta mil castellanos. Con esta suma resolví enviar por mar al piloto Pastene y al capitán Monroy para que me trajeran más ayuda del Perú. Despaché también a Antonio de Ulloa con documentos para el virrey en que yo le daba cuenta de todo lo que había hecho hasta entonces.

Como el tiempo pasaba y yo no recibía noticias de estos señores, decidí despachar al caballero Juan Dávalos con la misma misión. Le entregué copia de los documentos dados a Ulloa y otros sesenta mil pesos en oro sacados de las minas. Trece meses después de la salida de Dávalos, volvía el piloto Pastene a Valparaíso. Al verle otra vez, yo, que tenía por cierto que su nave se había hundido, sentí una alegría tan grande que mientras le abrazaba no podía contener las lágrimas. Por Pastene supe que Monroy había muerto y que Ulloa, después de leer mis documentos, los había destruido. No satisfecho con esto, se había marchado a Quito a ayudar al rebelde Gonzalo Pizarro, el cual estaba en aquella ciudad persiguiendo al ejército del rey.

En busca de Gonzalo Pizarro

Ya hacía muchos años que yo vivía en Chile, sin el menor deseo de abandonarlo, cuando la rebelión de Gonzalo Pizarro me hizo salir para el Perú a luchar por la causa del rey. A los once días de navegación llegué a Tarapacá, que está a doscientas leguas de Lima. Allí supe que días antes los rebeldes habían vencido al virrey y ahora gobernaban todo el Perú desde el Cuzco. Supe también que Pedro de la Gasca, presidente de la Audiencia, se hallaba en el Perú para sofocar la rebelión. En vista de lo que había oído, salí de Tarapacá aquella misma noche con rumbo al Callao. Cuando averigüé en este puerto que ya Gasca marchaba con dirección al Cuzco, despaché mensajeros para que le comunicaran mi propósito de servirle y le rogaran que me esperara.

Gasca se alegró muchísimo al verme, y entre otras cosas halagadoras me dijo que yo valía por ochocientos soldados. Aquel mismo día puso en mis manos el mando en parte del ejército real. Yo le besé la mano, contestando que con la ayuda de Dios venceríamos a los rebeldes y restituiríamos el Perú a Su Majestad. Entonces puse los soldados que tenían armas de fuego en una compañía y dí lanzas y picas a otros. Coloqué la artillería en el sitio donde debía estar y arreglé los escuadrones del modo que me pareció mejor para la marcha.

A principios de marzo llegamos al río Apurímac, cuyos cinco puentes los rebeldes habían destruido. Para pasar el río, sin que el enemigo nos sorprendiera, mandé hacer algunas redes de mimbre para tenderlas, como puente flotante, sobre el agua. Mientras algunos soldados, atados con sogas, entraban

en el agua para tender las redes, otros hacían balsas para pasar la artillería. Yo fuí el primero en atravesar el puente que habíamos improvisado; pero la caballería, acostumbrada a nadar, prefirió echarse al río. Al amanecer, mandé colocar la
5 artillería en la parte más estratégica de aquellas alturas. Sin embargo, a pesar de haber ocupado posiciones ambos ejércitos, no hubo batalla digna del nombre, pues las numerosas deserciones de los rebeldes pusieron la victoria en nuestras manos.

Vuelta a Chile

10 Terminada la rebelión, el presidente Gasca me confirmó el título de gobernador y me autorizó para que me llevara a Chile a todos los que quisieran ir conmigo. Como el desierto de Atacama, por donde yo había resuelto volver, era muy peligroso, envié adelante algunos corredores de campo.
15 Mientras tanto, yo salí con el resto de la gente hacia Arequipa. Como si las fatigas de la marcha no bastaran, ahora Gasca me ordenaba volver a Lima, porque ciertas personas le habían dicho que yo iba por el camino maltratando a los indios y robando por todas partes. Sin embargo, cuando el presidente
20 oyó lo que yo tenía que decir, se convenció que las acusaciones contra mí nacían de la envidia, y me dejó volver a Chile.

La campaña de Arauco

A fines de diciembre de mil quinientos cuarenta y nueve, salí de nuevo a explorar. Marchando primero sesenta leguas, llegué a la orilla del Biobío, río que a poco atravesé con cin-
25 cuenta de los doscientos hombres que iban conmigo. Dejando atrás a los otros, marché dos días enteros hasta que me hallé en el corazón de Arauco. Al ver que aquí la población india era muy numerosa, creí más prudente volver a reunirme con los otros. Todos juntos ahora seguimos la corriente del río
30 hacia el mar, entrando luego en un gran valle donde había unos lagos de agua dulce. Allí nos detuvimos, y la segunda

tarde fuimos atacados por muchísimos indios que venían dando gritos espantosos. Viendo que ni en tres horas mi infantería podía romper sus filas, arrojé contra ellos toda la caballería. Sólo así pude hacerlos huir.

Mientras algunos curaban a los soldados y caballos que el enemigo nos había herido, yo decidí construir un fuerte que nos sirviera de refugio. Escogí para ello una altura que mira al mar, en el puerto donde termina este gran río. Estuvimos una semana levantando el muro con troncos de árboles unidos por mimbres. Luego abrimos una honda zanja alrededor del fuerte. A poco volvimos a ver a los araucanos en las alturas que había frente al fuerte. Eran muchos más que antes, diez veces más quizá. Venían en cuatro divisiones, llevando vistosos sombreros de pluma y cubierto el cuerpo con ricas pieles de llama y foca. Traían lanzas muy largas, palos, arcos y flechas. Espectáculo tan espléndido como el que ofrecían estos guerreros jamás había visto antes en ninguna parte.

Afortunadamente su mal pensado plan de ataque nos dió la victoria. Divididos como estaban en cuatro escuadrones, cada uno empezó a atacar el fuerte por un sitio diferente. Contra el primer escuadrón que se acercó a forzar una puerta, despaché mis soldados a caballo. Este primer escuadrón enemigo, no pudiendo resistir el ímpetu de mi caballería, huyó, y sin esperar mucho los otros tres escuadrones siguieron el ejemplo del primero. Para conmemorar esta gran batalla, fundé cerca del Biobío la ciudad de Concepción, con lo cual, ahora como antes, he buscado sólo servir a Dios y al rey.[1]

[1] Within the next two years (1551–1552) Valdivia also founded the cities of Imperial, Valdivia and Villa Rica. In 1553 the Araucanian chiefs made a concerted effort to do away with him. They began with an uprising in southwest Arauco, which drew him from Concepción. He attacked them, but finding it impossible to face their overwhelming numerical superiority, decided to retreat. His way led through marshy land, where the horses were at a disadvantage. The Indians, having anticipated this, fell upon the Spaniards at that point. Valdivia could have escaped, for he had a good horse, but he was unwilling to desert a priest who accompanied him. He was captured, dragged to the place where the chiefs were holding their council, and mercilessly clubbed to death.

Francisco Vázquez

ANDANZAS DE LOPE DE AGUIRRE (1560–1561)

Con el tiempo la busca de oro en la América del Sur se redujo a la busca de El Dorado, fabulosa ciudad construida en un lago y escondida en los bosques del Amazonas. Hasta el célebre Walter Raleigh, seducido por lo que había oído contar de sus riquezas, fué a buscarlas.[1] *Entre todas las expediciones que salieron a descubrir El Dorado, ninguna ha dejado tan negra historia como la que acabó bajo el mando del tirano Lope de Aguirre. Francisco Vázquez, que era miembro de la expedición, nos cuenta cómo este hombre, combinando la astucia con la amenaza y el terror, logró al cabo coger el mando supremo. Su loco plan consistía en capturar la flota y el tesoro de Nombre de Dios y Panamá y hacerse dueño del Perú. No todos los escritores están de acuerdo con respecto a la ruta seguida por la expedición. Pudo haber bajado hasta la boca del Amazonas; pero lo más probable es que abandonara este río y siguiera por el río Negro y el Orinoco hasta el mar.*

[1] Sir Walter's first voyage to South America, made in 1595, is recorded in his romantic work, *The Discoverie of Guiana*, published on his return to England. When he sailed for the second time, in 1617, he had incurred the displeasure of James I and was under sentence of death. His only hope was to bring the king enough gold to restore him to favor. This he was to do without encroaching on Spanish rights, since James' policy with Spain was one of peace. It was stipulated that if he committed any act of piracy he should be executed on his return. From Trinidad, Raleigh sent a small expedition up the Orinoco, but it soon ran into a Spanish settlement, and in the ensuing fight Raleigh's son and several Spaniards were killed. The leader of the expedition committed suicide, and Sir Walter sailed back to England, where he was executed on October 29, 1618.

MAR CARIBE
Cartagena
Nombre de Dios
Panamá
Darién
lago de
Maracaibo
Barquisimeto
Burburata
Caracas
isla
Margarita
Trinidad
Nueva
Valencia
Maracapana
río Orinoco
VENEZUELA
PACÍFICO
LOS ANDES
río Magdalena
Bogotá
COLOMBIA
Orinoco
canal
Casaquiari
río Negro
Quito
río Coca
ECUADOR
río Canela
isla García
río Amazonas
río Marañón
Machifaro
Bracamoros
río
Motilones
río Cocama
BRASIL
río Madeira
CORDILLERA DE LOS ANDES
PERÚ
Lima
OCÉANO

Ruta de Orsúa y Aguirre

En busca de El Dorado

Unos indios del Brasil qué, subiendo por el Marañón, habían llegado al Perú, contaban tantas maravillas de las tierras por las que corría este río que el virrey,[1] sospechando que allí quizá estaba El Dorado, determinó explorarlas. Puso la empresa en manos del gobernador Pedro de Orsúa. Este ordenó la construcción de doce naves en Motilones, yendo luego a la capital a buscar lo demás que necesitaba. Se detuvo en Lima año y medio, y al fin de este tiempo volvió a Motilones con trescientos hombres, igual número de caballos, armas y provisiones. Mientras tanto cierta moza llamada doña Inés de Atienza, a quien los relatos de los indios habían encantado, vino a juntarse con nosotros.

Salimos de Motilones en el otoño de mil quinientos sesenta. Al amanecer del segundo día de viaje dejábamos atrás la cordillera de los Andes y empezábamos a ver la tierra llana que dura hasta el mar del Norte. Bajamos luego por el Bracamoros y por el Cocama, que se juntan más abajo con otros ríos y forman uno tan grande que no creo haya en el mundo otro igual a él. Durante la cuarta semana de la jornada paramos en una pequeña isla[2] donde los indios nos mostraron un gran sombrero blanco que veinte años atrás el capitán Francisco de Orellana les había regalado. Luego entramos en un inmenso despoblado por el que corren algunos ríos entre altas barrancas rojas. Algunos creían que sería bueno ir a explorar tierra adentro, pero al fin Orsúa no lo hizo porque tenía pocas raciones.

La conspiración de Machifaro

Cuando acabó el despoblado entramos en las tierras de Machifaro, donde estaba el más grande de todos los pueblos indios que hasta entonces habíamos visto. Este pueblo ocu-

[1] Andrés Hurtado de Mendoza (1557–1560). [2] Isla García.

paba una altura que daba al río, y sus casas eran redondas, de varas hundidas en la tierra, cada una con dos puertas y con techo de hoja de palma. Como habíamos llegado al pueblo sin ser notados, lo hallamos ocupado; pero cuando los indios 5 nos vieron, enviaron sus mujeres e hijos en canoas río abajo, quedando dentro sólo los guerreros, que eran muchísimos. Nosotros nos acercábamos al pueblo, sin hacer fuego y agitando una bandera blanca. El cacique, comprendiendo por fin que no buscábamos guerra, se metió entre nosotros y sus 10 guerreros siguieron su ejemplo. Orsúa les pidió entonces que nos dejaran descansar allí unos días, diciéndoles que no los molestaríamos, y ellos consintieron.

Machifaro era un pueblo rico y en él había miles de tortugas encerradas en unas grandes lagunas rodeadas de varas. 15 A la puerta de cada casa se veían dos o tres lagunas más pequeñas que servían el mismo fin. Nos comimos los huevos y la carne de las tortugas. Con el maíz y la yuca que cogimos en los campos, hicimos vino y pasteles en abundancia. En efecto, y a pesar de lo que el gobernador había prometido a 20 los indios, nosotros nos apresuramos a quitarles cuanta comida tenían.

En Machifaro los perversos, que buscaban la ruina de Orsúa porque no los dejaba robar y matar indios a su gusto, principiaron a decir que doña Inés le había hechizado. En 25 verdad se había vuelto muy grave. Comía solo, cosa que nunca había hecho, y parecía no pensar más en la exploración. A algunos de los rebeldes, para bajar su arrogancia, los obligó a remar en la nave de la dama. Estos, después de decretar la muerte del gobernador, hablaron una noche con el joven don 30 Fernando de Guzmán, y acabaron por elegirle jefe de la expedición. Orsúa tenía tiempo aún de salvarse y de ejecutar a los traidores, pues su fiel amigo Pedrarias sabía quiénes eran los jefes, pero a él no le gustaba tomar medidas extremas.

La noche de año nuevo, los traidores sorprendieron al 35 gobernador en su cuarto. El, viendo entre ellos algunos que horas antes le habían pedido permiso para ir a cazar, exclamó:

— ¡Bienvenidos, caballeros! Ya estaba yo con deseo de saber cómo habéis pasado el tiempo.

— ¡Ahora lo veréis! — respondió Alonso de la Bandera, y sin esperar más le atravesó el cuerpo con la espada.

Pedrarias, que se hallaba en la habitación, también sacó la espada y empezó a atacar a los rebeldes gritando:

— ¿Qué es esto? ¿Qué traición es ésta?

Pero como eran tantos contra uno, no tuvo más alternativa que huir.

Al grito de «¡Muerto es el gobernador! ¡Viva el rey, viva el rey!» la gente corrió a la plaza. Los rebeldes, aprovechando el miedo que los demás sentían, no tuvieron dificultad en desarmar a los amigos del gobernador y con el fin de justificar lo que habían hecho, el nuevo jefe les habló así:

— Caballeros, lo que esta noche ha pasado no debe espantar a nadie. En nuestro deseo de servir al rey está la causa de la muerte del gobernador. Había perdido todo interés en la empresa. Además nos trataba con demasiada arrogancia y nos castigaba como si fuéramos esclavos. Era necesario buscar remedio y quitar una vida para conservar muchas.

Don Pedro de Orsúa tenía cuando murió treinta y cinco años de edad. Era de estatura mediana y bien proporcionado, aunque algo delicado. Tenía hermoso rostro y barba roja y espesa. Era hombre afable y muy liberal con los débiles. A caballo hizo siempre buena figura, y en el mando se mostró siempre caballero.

Los traidores, sin perder tiempo, se dividieron los cargos como mejor quisieron. Hicieron más capitanes y otros oficiales que soldados había en el campo. Lope de Aguirre fué nombrado maestre de campo, que era el cargo más alto después del de don Fernando. Era este Lope de Aguirre hombre de cincuenta años. En el Perú se había ganado la vida domando potros. Era pequeño de cuerpo y de cara, pero tenía los ojos muy vivos, sobre todo cuando estaba enojado. Necesitaba muy poco sueño; en todo el tiempo que le conocí, muy pocas veces le vi dormir.

En la primera reunión que hubo después de la muerte de Orsúa, don Fernando mandó escribir un documento para justificar ante el rey lo que habían hecho. El maestre Lope de Aguirre mantenía, sin embargo, que era inútil cuanto habían escrito.

— Es locura creer que no tenemos culpa — dijo — después que hemos matado a un gobernador que traía su autoridad sellada con el sello imperial. Aunque halláramos El Dorado mismo, el primer juez que llegara allí nos cortaría la cabeza.

Firmó el documento, pero añadió a su firma la palabra *traidor*, pues para él traidores eran todos y como tales los trataría el rey si caían en sus manos. Alonso de la Bandera no aprobó las palabras del maestre, y en adelante ambos fueron enemigos.

Del príncipe don Fernando

Al sexto día de la muerte de Orsúa partimos de aquel pueblo de triste memoria y a poco vimos un bosque donde había tanto cedro que resolvimos detenernos en él para construir dos naves. Durante este tiempo pasamos mucha hambre, pues con la excepción de las frutas que a veces hallábamos en el monte no teníamos nada que comer. Fué aquí que don Fernando quitó a Aguirre el título de maestre para darlo a Alonso de la Bandera. Al hacer esto usaba muy poca discreción. Enojado como estaba al perder su título, Aguirre no pensaba ahora sino en vengarse, y un día que su rival jugaba a los naipes en casa de don Fernando le asaltó y le privó de la vida. Don Fernando, alarmado por esta muerte, devolvió el título a Aguirre, el cual viendo la debilidad de su nuevo jefe, determinó explotarla un tiempo, fingiéndose partidario suyo. Un día hizo juntar toda la gente delante de la puerta de don Fernando.

— Caballeros — les dijo — digamos que Felipe Segundo no es ya nuestro rey y elijamos a don Fernando de Guzmán para coronarle en el Perú cuando lleguemos allá.

Muchos aprobaron sus palabras, aceptaron al nuevo príncipe y, siguiendo el ejemplo del maestre, le besaron la mano. Desde entonces don Fernando empezó a comer solo, haciéndose servir como si ya fuera rey. Adquirió mucha gravedad, dió nuevas órdenes a sus capitanes y aumentó los salarios. En adelante sus órdenes comenzaban de este modo: «Don Fernando de Guzmán, por la gracia de Dios príncipe de Tierra Firme y del Perú y gobernador de Chile.» Al oír estas palabras todos se quitaban la gorra como si hubieran oído nombrar al rey, y se tocaban trompetas y tambores.

Habiendo terminado las naves, salimos ahora en busca de la isla Margarita para tomar provisiones y de allí seguir a Nombre de Dios.[1] El plan de Aguirre consistía en capturar el tesoro de este pueblo y pasar entonces a la ciudad de Panamá. Aquí cogería las naves que viera en el puerto y se juntaría con los elementos sediciosos de otras provincias. Con tan gran ejército la conquista del Perú le parecía cosa fácil.

Viendo otro río a mano izquierda, subimos por él, entrando a poco en un pueblo situado en la parte más alta de un barranco. Tenía enfrente el río y detrás un gran lago; así puedo decir que estaba como en una larga y estrecha isla. Como aquí también había mucho cedro y el terreno producía todo género de raíces alimenticias, resolvimos quedarnos unos días para reparar las naves.

Estábamos para salir cuando el príncipe don Fernando, que desde la muerte de Orsúa andaba muy preocupado, llamó a los oficiales a consejo, pero sin invitar al maestre.

— Caballeros y amigos míos — les dijo — muchas veces he pensado en lo que hemos hecho, y he llegado a la conclusión que sólo nuestros pecados nos condujeron a ello. Pasamos a estas partes para aumentar la corona de Castilla y ganar fama explorando la tierra bajo el gobernador que Su Majestad nos

[1] Nombre de Dios, founded in 1510, was the Caribbean terminus of the treasure route from the south which led across the isthmus. It was superseded by the building of Porto Bello in 1597.

dió. En vez de respetar su autoridad, le dimos muerte cruel. Este crimen pesa sobre mi conciencia, lo confieso. Además el viaje que queremos hacer al Perú es muy largo y peligroso. Aunque todo saliera como hemos pensado, la jornada causaría muchas muertes, y una vez en el Perú tendríamos que luchar contra nuestros propios hermanos. Os he llamado para oír vuestra opinión, ya que la mía es volver a servir al rey.

Don Fernando volvió a usar muy poca discreción al no invitar a Aguirre al consejo. Este, creyendo que ya era tiempo de derribar al príncipe, se rodeó de una guardia armada. Como no se fiaba de mujeres y sabía que doña Inés le espiaba, mandó que primero la mataran a ella. A poco de esto se dirigió con cuarenta hombres a la casa de don Fernando.

—¿Qué es esto?— exclamó muy asustado el príncipe al ver cómo aquellos hombres entraban sin permiso en su habitación.

Esas fueron sus últimas palabras. Antes de que pudiera llamar a un confesor moría atravesado por la espada del maestre.

Don Fernando de Guzmán había nacido en Sevilla. Tenía cuando se embarcó veinte y cinco años de edad, y era en todo persona distinguida. Fué siempre enemigo de injusticias y crueldades; pero por desgracia amaba con pasión los títulos y le gustaba mandar.

Aguirre, después de la muerte de don Fernando, juntó la gente en la plaza. Dijo a todos que no se asustaran por lo que habían visto y pasó a justificar lo que había hecho con estas palabras:

—Bien sabéis, caballeros, cuánto he trabajado en esta empresa y cómo he servido a don Fernando. Vosotros sabéis lo que él me debía, pero en vez de ser mi amigo trató de darme muerte cruel. El príncipe ha muerto porque tenía que morir. No hablemos más de él.

En la isla Margarita

Por fin, y a pesar de los vientos y mareas que venían río arriba, vimos el mar el día veinte de julio, y diez y siete días después llegamos a la isla Margarita. Allí Aguirre desembarcó sólo la gente enferma y algunos amigos suyos y mandó que los otros se quedaran en el bergantín escondidos. A los vecinos que nos visitaron el primer día el maestre regaló una gran copa de plata, dos esmeraldas y una hermosa capa roja con adornos de oro. El gobernador de la isla, don Juan de Villandrando, al saber de los regalos, resolvió ir con sus oficiales a ofrecer su casa al maestre, creyendo que sería buen negocio. Aguirre al ver que se acercaban bajó a recibirlos y fingiendo gran humildad mandó que sus amigos les cogieran los caballos. Pasadas las primeras cortesías el maestre se excusó para ir al bergantín y volviendo otra vez le dijo al gobernador:

— Señor, los soldados del Perú preferimos siempre las armas a los vestidos, aunque también tenemos muchos de éstos. Por eso pedimos permiso para llevar al pueblo de esta isla nuestros arcabuces, siendo con ellos que todos servimos al rey.

Apenas hubo dado el permiso Villandrando cuando el maestre exclamó:

— ¡Marañones, limpiad vuestros arcabuces, que estarán dañados por el agua del mar! ¡Ya tenemos permiso del señor gobernador para entrar con armas en el pueblo!

Los soldados, sin esperar más, salieron armados del bergantín y Aguirre, mirando entonces a Villandrando y a sus oficiales, les dijo:

— Señores, nosotros vamos al Perú, donde ahora hay muchas guerras. Como vosotros no nos dejaréis salir de esta isla mientras tengáis armas, mando que las dejéis conmigo y que seáis mis prisioneros.

— ¡Qué insolencia! — exclamó don Juan muy indignado. Sin embargo, como los que allí tenía eran muy pocos, comprendió que sería inútil resistir.

Ya en el pueblo, los marañones llenaron todas las calles con el grito de «¡Viva Lope de Aguirre!» En seguida marcharon a la fortaleza, entraron en ella y la capturaron. Viendo donde estaba el tesoro, forzaron la puerta que lo guardaba, lo
5 cogieron todo y quemaron los libros de las cuentas reales. Aguirre, viendo en el suelo un naipe, que era el rey de espadas, lo pateó y lo hizo pedazos.

Aguirre mandó a poco que le trajeran todas las canoas de la isla y las destruyó para que los vecinos no pudieran escapar
10 por mar. Averiguando luego que en la costa de tierra firme los frailes dominicos de Maracapana tenían una nave, despachó una compañía a aquel pueblo con el capitán Munguía para que la tomaran y se la trajeran. Este capitán no volvió a la isla. Se fué con uno de los frailes a Santo Domingo a in-
15 formar a la Audiencia de lo que Aguirre estaba haciendo. Cuando la Audiencia oyó el relato, despachó al instante una nave a Nombre de Dios, donde las autoridades levantaron un ejército de más de dos mil hombres.

Mientras esto sucedía, el tirano ejecutó a don Juan de
20 Villandrando, poniendo luego el cuerpo a la entrada de la fortaleza. Los vecinos de la isla al ver a su gobernador muerto quedaron espantados; pero el miedo que sentían era tan grande que nadie se atrevía a hablar:

Campaña en Venezuela y muerte del tirano

Aguirre, viendo que el tiempo pasaba y que Munguía no
25 volvía, empezó a preocuparse. Por fin, después de coger dos naves que habían llegado a la isla, mandó que todos fuéramos a bordo. Era el día último de agosto. A fines de semana llegábamos a la Burburata, a pesar del mal tiempo que tuvimos. Sabiendo por los vecinos que allí había mucho ganado y
30 buenos caminos que conducían al Perú, el tirano decidió no ir a Nombre de Dios ni a Panamá. La mañana siguiente envió toda la gente al pueblo y entonces él quemó las naves en que habíamos llegado. Luego mandó recoger todos los caballos del

pueblo, y se detuvo allí diez y ocho días domándolos para que llevaran las municiones.

Entrando luego en Nueva Valencia tuvimos que dejar allí muchos de los animales que llevábamos, porque iban muy despacio, y también la artillería pesada, porque las muchas cuestas y las lluvias no nos dejaban subirla. Salimos de Nueva Valencia bajo una tempestad, y seguimos marchando aquella noche hasta que llegamos a Barquisimeto. Por la mañana vimos que el ejército del rey nos aguardaba al otro lado del pueblo. Aquella mañana algunos de los nuestros, oyendo decir que las autoridades perdonarían a los que abandonaran al tirano, se pasaron al real de Su Majestad. Como uno de éstos era un capitán, Aguirre, para evitar que otros oficiales siguieran su ejemplo, exclamó:

— Marañones, ¿no sabéis que yo mismo he enviado al capitán al real del enemigo a cierto negocio que nos conviene a todos?

Pero el joven oficial, volviendo hacia nosotros, nos gritó:

— ¡Españoles, a la bandera real, a la defensa del rey!

Aguirre, notando también que otros no querían pelear, trató como último recurso de retirarse al mar para escapar; pero ninguno quiso seguirle. Cuando por último vió que todos comenzaban a huir, supo que estaba perdido. Poco después llegaron los oficiales del rey y, sin que él se resistiera, le prendieron. Uno le cogió la capa negra que llevaba siempre, mientras otro le quitaba la coraza. El tirano rogó a estos oficiales que no le dejaran morir hasta que oyeran ciertas cosas que el rey debía saber. Apenas hubo expresado este deseo cuando dos de los marañones, creyendo que su jefe iba a delatarlos, con los arcabuces que tenían, le dispararon dos tiros. Lope de Aguirre cayó muerto sin tiempo siquiera de encomendar su alma a Dios.[1]

[1] The memory of Aguirre's evil deeds persists in Venezuela. A will-o-the-wisp seen in a lonely place is still spoken of as "the soul of the tyrant Aguirre."

Reading List

Exercises

Vocabulary

READING LIST

Columbus

Colón, Cristóbal, *Diario de navegación;* Buenos Aires, Editorial Tor.

Columbus, Christopher, *Journal of the First Voyage to America;* N. Y., A. and C. Boni, 1924.

Columbus, Christopher, *Log of Christopher Columbus' First Voyage;* N. Y., W. R. Scott, 1942.

Madariaga, Salvador de, *Christopher Columbus;* N. Y., Macmillan, 1940.

Morison, Samuel Eliot, *Admiral of the Ocean Sea;* Boston, Little, Brown, 1942.

Magellan

The First Voyage round the World by Magellan, translated from the account of Pigafetta and other contemporary writers; London, Hakluyt Society, 1874.

Hildebrand, Arthur S., *Magellan;* N. Y., Harcourt, Brace, 1924.

Pigafetta, Francesco Antonio, *Magellan's Voyage around the World;* Cleveland, A. H. Clark, 1906.

Zweig, Stefan, *Conqueror of the Sea,* the story of Magellan; N. Y., Viking Press, 1938.

Cortés

Díaz del Castillo, Bernal, *Cortez, and the Conquest of Mexico by the Spaniards,* abridged and edited by B. G. Herzog, with 16th century Indian drawings of the Conquest; N. Y., W. R. Scott, 1942.

Díaz del Castillo, Bernal, *The True History of the Conquest of Mexico*, translated by Maurice Keatinge; N. Y., Robert M. McBride, 1927.

Díaz del Castillo, Bernal, *Historia verdadera de la conquista de la Nueva España*, in *Historiadores primitivos de Indias*, BAE XXVI; Madrid, 1862.

Díaz del Castillo, Bernal, *Historia verdadera de la conquista de la Nueva España;* Madrid, Espasa-Calpe, 1933.

Graham, R. B. Cunninghame, *Bernal Díaz del Castillo;* London, 1915.

MacLeish, Archibald, *Conquistador;* Boston, Houghton Mifflin, 1932.

MacNutt, F. A., *Fernando Cortés*, his five letters of Relation to the Emperor Charles V, translated and edited with biographical introduction and notes compiled from original sources; Cleveland, Arthur H. Clark, 1908.

Madariaga, Salvador de, *Hernán Cortés, Conqueror of Mexico;* N. Y., Macmillan, 1941.

Prescott, William H., *The Conquest of Mexico;* N. Y., E. P. Dutton, 1927–1929.

Cabeza de Vaca

Bishop, Morris, *The Odyssey of Cabeza de Vaca;* N. Y., Century, 1933.

Hallenbeck, Cleve, *Alvar Núñez Cabeza de Vaca*, the journey and route of the first European to cross the continent of North America; Glendale, Cal., Arthur H. Clark, 1940.

Núñez Cabeza de Vaca, Alvar, *Naufragios* and *Comentarios*, in *Historiadores primitivos de Indias*, BAE XXII; Madrid, 1877.

Núñez Cabeza de Vaca, Alvar, *Naufragios y Comentarios;* Madrid, Espasa-Calpe, 1936.

The Commentaries of Alvar Núñez Cabeza de Vaca, translated by Luis L. Domínguez; London, Hakluyt Society, 1891.

De Soto and Ortiz

Alfriend, Mary Bethell, *Juan Ortiz, Gentleman of Seville;* Boston, Chapman and Grimes, 1941.

Bourne, Edward Gaylord, *Narratives of the Career of Hernando de Soto in the Conquest of Florida;* N. Y., A. S. Barnes, 1904.

Graham, R. B. Cunninghame, *Hernando de Soto;* London, 1903.

King, Grace, *De Soto and His Men in the Land of Florida;* N. Y., Macmillan, 1898.

Knoop, Faith Yingling, *Quest of the Cavaliers;* N. Y., Longmans, Green, 1940.

Lytle, Andrew, *At the Moon's Inn;* Indianapolis, Bobbs-Merrill, 1941.

The Incas

Bingham, Hiram, *Inca Land;* Boston, Houghton Mifflin, 1922.

Markham, Sir Clements R., *The Incas of Peru;* London, 1911.

Means, Philip Ainsworth, *Ancient Civilizations of the Andes;* N. Y., Scribner's, 1941.

Prescott, William H., *History of the Conquest of Peru;* N. Y., E. P. Dutton, 1909.

Orellana

The Discovery of the Amazon, according to the account of Friar Gaspar de Carvajal and other documents; N. Y., American Geographical Society, 1934.

Herrera, Antonio de, *The Voyage of Francisco de Orellana down the River of the Amazons,* translated by Sir Clements R. Markham from the *Historia general de las Indias Occidentales;* London, Hakluyt Society, 1859.

Medina, José Toribio, *Descubrimiento del río de las Amazonas;* Seville, 1894.

Valdivia

Graham, R. B. Cunninghame, *Pedro de Valdivia, Conqueror of Chile;* N. Y., Harper, 1927.

Medina, José Toribio, *Colección de documentos inéditos para la historia de Chile;* Santiago de Chile, 1888–1902.

Aguirre

Bandelier, A. F., *The Gilded Man (El Dorado);* N. Y., D. Appleton, 1893.

Simón, Pedro, *The Expedition of Pedro de Ursua and Lope de Aguirre in Search of El Dorado and Omagua*, translated by William Bollaert; London, Hakluyt Society, 1861.

Southey, Robert, *Expedition of Orsua and the Crimes of Aguirre;* London, 1821.

Vázquez, Francisco, *Jornada de Omagua y Dorado*, in *Historiadores de Indias,* NBAE XV; Madrid, 1909.

Of General Interest

Bolton, Herbert Eugene, *Spanish Exploration in the Southwest* (1542–1706); N. Y., Scribner's, 1916.

Bourne, Edward Gaylord, *Spain in America;* N. Y., Harper, 1904.

Carlson, Fred A., *Geography of Latin America;* N. Y., Prentice-Hall, 1941.

Dampier, William, *Voyages and Discoveries in the South Seas and around the World;* London, 1790.

Day, A. Grove, *Coronado's Quest;* Berkeley, University of California Press, 1940.

Defoe, Daniel, *Robinson Crusoe;* N. Y., E. P. Dutton (Everyman's Library), 1926.

Haskins, Caryl P., *The Amazon;* Garden City, N. Y., Doubleday, Doran, 1943.

James, P. E., *Latin America;* N. Y., Lothrop, Lee and Shepard, 1942.

Kirkpatrick, F. A., *The Spanish Conquistadores;* London and New York, Macmillan, 1934.

Lummis, Charles F., *The Spanish Pioneers;* Chicago, A. C. McClurg, 1893.

Means, Philip Ainsworth, *The Spanish Main;* N. Y., Scribner's, 1935.

Munro, D. G., *The Latin American Republics;* N. Y., Appleton-Century, 1942.

Oviedo y Valdés, Gonzalo Fernández de, *Historia general y natural de las Indias;* Madrid, 1851–1855.

Polo, Marco, *The Travels of Marco Polo, the Venetian;* N. Y., Boni and Liveright, 1926.

Raleigh, Sir Walter, *The Discovery of the Large, Rich and Beautiful Empire of Guiana*, in E. J. Payne, *Voyages of the Elizabethan Seamen to America;* Oxford, 1893–1900.

Richman, Irving Berdine, *The Spanish Conquerors;* New Haven, Yale University Press, 1921.

Rippy, J. Fred and Jean Thomas Nelson, *Crusaders of the Jungle;* Chapel Hill, University of North Carolina Press, 1936.

Roberts, W. Adolphe, *The Caribbean;* Indianapolis, Bobbs-Merrill, 1940.

Spanish Exploration and Settlements in America from the Fifteenth to the Seventeenth Century; Boston, Houghton Mifflin, 1886.

Spanish Explorers in the Southern United States; N. Y., Scribner's, 1907.

Spinden, Herbert J., *Ancient Civilizations of Mexico and Central America;* N. Y., American Museum of Natural History, 1928.

Vega, Garcilaso de la, *Comentarios reales;* Lima, Sanmartí, 1918.

Vega, Garcilaso de la, *La Florida del Inca;* Madrid, 1722.

Vega, Garcilaso de la, *Royal Commentaries of the Incas*, translated by Sir Clements R. Markham; London, Hakluyt Society, 1869–1871

EXERCISES

Diario del primer viaje

I. *In what order did Columbus reach these places?* Azores, Cintra, Cuba, Española, Guanahaní, isla Isabel, Lisboa, Navidad, Palos, valle del Paraíso.

IIa. *Give the corresponding infinitive:* condujo, creyó, descrito, descubierto, dieron, dijimos, duele, hagamos, hará, hayan, hecho, hice, hubo, puede, puse, quisiera, resuelto, rogué, roto, saqué, sé, supiéramos, traje, tuvimos, vino, visto, vuelan.

b. *Translate:* se acercaron a nosotros, al verme, antes de salir, se despidió de mí, en busca de comida, en seguida, no había agua, sé lo que he de decir, junto al mar, mandó hacer una nave, ni siquiera uno, para que le ayuden, navegábamos por allí, por eso no voy, seguimos hablando, sin embargo, a veces, otra vez, la nave volvió a flotar.

El naufragio de Pedro Serrano

I. *Answer in complete sentences:* 1. ¿Dónde está la isla Serrana? 2. ¿Por qué se acercan a la isla pocos navíos? 3. ¿De qué carece la isla? 4. ¿Por qué se salvó Serrano? 5. ¿Cómo pasó la primera noche? 6. ¿Con qué se desayunó la mañana siguiente? 7. ¿Qué animales encontró al alejarse de la playa? 8. ¿Qué hacía para que no se le escaparan? 9. ¿Qué hacía con la sangre de las tortugas? ¿con la carne? ¿con las conchas? 10. ¿Con qué sacó fuego Serrano? 11. ¿Con qué lo mantenía? 12. ¿Qué hizo para que las lluvias no lo apagaran? 13. ¿Cómo huía del sol? 14. ¿Por qué le creció tanto el pelo? 15. ¿Cuántos años estuvo solo en la isla? 16. ¿Quién llegó un día a acompañarle? 17. ¿Qué creyeron al verse uno y otro? 18. ¿Cuántos años estuvieron juntos en la isla? 19. ¿Por qué no llegó a España el compañero? 20. ¿Qué hizo Serrano después de llegar a España?

IIa. *Give the corresponding infinitives:* cayendo, cubierto, cuenta, dió, hizo, hubiera, huyó, muerto, muriendo, oyó, riñeran, siguen, sirvieron, supieron.

b. *Translate:* los dos se abrazaron, me alegro mucho, no me atreví a decirlo, dió a la roca con el cuchillo, no les falta nada, al fin, el navío se hundió, logró salvarse, se llama Pedro, se pidieron perdón, por todas partes, quedaron espantados al verse, no sé nadar, la roca le servía de pedernal, la isla tiene dos leguas de largo, tengo mucha sed, trató de hacer fuego, volvieron a hacer humo, ya no tenemos que trabajar.

El famoso viaje de Magallanes

I. *Supply the place names which will make these statements correct:* 1. Magallanes logró hallar una ruta occidental que conducía al ____. 2. La flota se preparó en ____. 3. Bajó por el río ____. 4. Salió del puerto de ____. 5. Seis días después llegó a ____. 6. Pasó luego por las islas de ____ y por la costa de ____. 7. Después de cruzar el océano ____ llegó a la costa del ____. 8. El Brasil era tierra del rey de ____. 9. Era mucho más grande que ____, ____ y ____ juntas. 10. Después de salir del Brasil, la expedición siguió hasta el ancho río ____. 11. En marzo llegó al puerto de ____. 12. Aquí vivían los gigantes cuyos enormes pies dieron nombre a ____. 13. En el río ____ hubo grandes tormentas. 14. En octubre la expedición llegó al estrecho de las ____. 15. Desde el río de las ____ Magallanes envió adelante algunos hombres. 16. Estos llegaron al cabo ____. 17. El veinte y ocho de noviembre Magallanes salió del estrecho y entró en el océano ____. 18. Llegó por fin a las islas de las ____.

IIa. *Select ten pairs of synonymous expressions:* al fin, algunas veces, al instante, al verme, a menudo, al poco tiempo, a veces, cerca de, cuando me vió, detenerse, en seguida, está aquí, junto a, la vi otra vez, muchas veces, pararse, poco tiempo después, por fin, se halla aquí, volví a verla.

b. *Translate:* a menos que trabajemos, a pesar del frío, en cuanto al dinero, en efecto, es decir, pensaban huir, por todas partes, quedé asustada, tan pronto como la vea, tienes razón.

Hernán Cortés y el gran Montezuma

I. *Complete these statements by mentioning the proper persons:* 1. ____ condujo a los mensajeros a Cortés. 2. Los ____ hicieron retratos de los españoles. 3. El sabio cacique ____ le habló a Cortés de las cosas de México. 4. El capitán ____ subió a Popo. 5. Una vieja avisó a ____ de la traición de Cholula. 6. El dios ____ le aconsejó a Montezuma que dejara entrar a los españoles en su capital. 7. Montezuma envió a su sobrino ____ a darles la bienvenida. 8. Cuando llegaron a la entrada de la ciudad, ____ salió a recibirlos. 9. Los españoles ocuparon el palacio del ____. 10. Cortés pidió permiso para poner una imagen de ____ en el templo de Vichilobos. 11. Los españoles decidieron prender a ____. 12. ____ le aconsejó que los acompañara. 13. Cortés le envió a su paje ____. 14. El gobernador de Cuba ____ se enfadó al saber que Cortés no le había enviado ningún tesoro. 15. Envió a ____ a castigarle. 16. Mientras Cortés peleaba en Cempoal, los indios rodearon el palacio de ____. 17. Los españoles le rogaron a ____ que hablara a los rebeldes. 18. Mientras hablaba, los ____ le mataron.

II. *Give an antonym for each word:* alguno, bajo, delante de, dios, enemigo, feo, ganar, mayor, meter, paz, peor, principiar, quedarse, salir el sol, subir, temprano, vacío, vivo.

Atravesando la América del Norte

I. *With the aid of text and map, number these places in the order in which Cabeza de Vaca saw them:* Apalachicola Bay, Apalachicola River, Culiacán, Galveston Island, Guadalupe Mountains, Havana, Mexico City, Mississippi River, Mobile, Pensacola, Rincon Pass, Rio Grande, San Antonio, Sanlúcar, Sarasota Bay, Sinaloa River, Sonora, Suwanee River, Tampa Bay, Yaqui River.

IIa. *Give the corresponding infinitives:* abierto, anduvimos, cayó, condujeron, dicho, durmiendo, envuelto, estuve, hecho, huyendo, muerto, puesto, pusieron, quisiera, redujeron, siguiendo, sirve, trajeron, tuvimos, visto.

b. *Translate:* acabábamos de oírlo, a fines de abril, al principio, a principios de mayo, a tiempo, en fin, estar en pie, ha oído decir, ni siquiera, no obstante, nos sirve de olla, no tardaron en volver, se despidieron, tuve miedo, volví a perderlo.

Las extrañas aventuras de Juan Ortiz

I. *Arrange these events in chronological order:* De Soto llegó a la Florida. Narváez le hizo la guerra al cacique Hirrihigua. Mucozo se negó a devolver a Ortiz a Hirrihigua. La mujer e hijas del cacique salvaron a Juan Ortiz. La madre de Mucozo visitó el real. Ortiz se encontró con los españoles. Hirrihigua cogió a cuatro españoles. De Soto dió una fiesta. Ortiz fué al monte a velar los muertos. Mucozo le rogó a Ortiz que hablara por él a De Soto. Ortiz mató un león. El cacique Mucozo prometió proteger al joven. Hirrihigua hizo matar a tres españoles en una fiesta. La hija del cacique ayudó a Ortiz a escapar. Ortiz volvió con los españoles al real. Hirrihigua juró vengarse de los españoles. Mucozo visitó el real. De Soto envió a un oficial a buscar a Juan Ortiz.

II. *Give the nouns that correspond to the following verbs:* agradecer, alegrar, ayudar, caminar, comer, entrar, ejecutar, faltar, favorecer, flechar, guiar, llegar, nombrar, poder, regalar, sospechar, trabajar, ver, vivir.

El viaje de Hernando de Soto a la Florida

I. *Answer in complete sentences:* 1. ¿En qué país hizo De Soto una gran fortuna? 2. ¿A quién pidió permiso para explorar la Florida? 3. ¿Qué títulos le dió el emperador? 4. ¿Quiénes formaban parte de la expedición de De Soto? 5. ¿En cuántas naves iba? 6. ¿Qué otra armada la acompañaba? 7. ¿Cuál era la nao capitana? 8. ¿Qué hizo durante la primera noche el navío de Salazar? 9. ¿Qué hizo entonces la nao capitana? 10. ¿En qué peligro estuvieron luego los dos navíos? 11. ¿Dónde tomó agua la flota? 12. Después de llegar a Cuba ¿a dónde fué la flota de Salazar? 13. ¿A quién vieron los marineros del *San Cristóbal* al entrar en el puerto de Santiago de Cuba? 14. ¿Cuál fué el resultado del golpe que dió el navío en la roca? 15. ¿Cuánto tiempo duraron las fiestas en honor a la flota? 16. Desde Santiago ¿a dónde fué De Soto? 17. ¿Qué viejo amigo vió allí? 18. ¿Cómo le trató De Soto? 19. ¿A quién envió De Soto a explorar la Florida? 20. ¿A quién nombró gobernadora de Cuba?

II. *Translate:* un navío se adelantó al otro, me apresuré a salir, dieron voces, es decir, a fines de octubre, hacía buen tiempo, no le hice daño, se halla ocupada, ir a medias, es lástima, mientras tanto, quedaron separados, ¿qué quiere decir esto?, no sabía leer, siempre que le veo, tan pronto como llegó, trataban de hundir el navío, la nave tiene cien pies de largo, a veces, en vez de entrar.

Cómo vivían los incas

I. *Supply words which will make these statements correct:* 1. Los edificios de los incas eran de ____. 2. A veces usaban mezcla que era como ____ colorado. 3. Los techos de los templos del sol eran de ____. 4. Hacían muchas figuras de ____ y ____. 5. La ropa blanca del Inca era de ____ de vicuña. 6. El ____ caliente para su baño venía por caños de oro y plata. 7. Al lado del hogar los incas colocaban ____ artificial. 8. Para comunicar noticias extraordinarias hacían grandes ____. 9. También enviaban mensajes por medio de nudos hechos en ____. 10. Los hilos blancos podrían indicar que se trataba de ____ o de ____. 11. Los ____ representaban números. 12. Los incas contaban los meses por la ____. 13. Tenían modelos de ____, ____ y ____ de la ciudad del Cuzco. 14. Para acompañar sus canciones tocaban la ____. 15. No usaban ____ para labrar la piedra. 16. No tenían animales como ____ y ____ para la transportación. 17. Como no conocían la ____, no tenían carros. 18. Para subir y bajar las grandes piedras usaban ____.

II. *What word or name does each of these suggest?* 1. el jefe supremo de los indios del Perú 2. la capital del imperio inca 3. un mensajero inca 4. el célebre hijo de un conquistador español y una princesa inca 5. la piedra que lloró lágrimas de sangre 6. el conquistador del Perú 7. un hilo con nudos. 8. un oficial encargado de las cuentas públicas 9. la gran fortaleza del Cuzco 10. un animal que da lana muy fina.

Exploraciones en la América del Sur

I. *In what order did Cabeza de Vaca reach these places?* Asunción, Cádiz, bahía de Cananea, Candelaria, isla de Santa Catalina, catarata del Iguazú, río Iguazú, río Paraguay, río Paraná, puerto de los Reyes.

II. *Supply the prepositions:* se acercaron ____ la bahía, ____ adelante no hablaré así, no se atrevieron ____ entrar, vamos ____ bordo, comenzamos ____ gritar, los leones salen ____ noche, es el edificio más grande ____ la ciudad, después ____ todo, venga ____ seguida, ____ embargo no lo creo, en medio ____ la carretera, voy ____ menudo, se quejaban ____ la comida, ____ repente oímos ruido, salimos ____ pescar, trataban ____ atravesar el río, me vi obligado ____ huir, volvimos ____ subir por el río.

Francisco de Orellana baja por el Amazonas

I. *Answer in complete sentences:* 1. ¿Cuál es el río más grande del mundo? 2. ¿Dónde nace? 3. ¿Qué nombre le pusieron los primeros españoles que lo vieron? 4. ¿Quién le puso el nombre que lleva ahora? 5. ¿Quiénes fueron los primeros europeos que bajaron por él hasta la boca? 6. ¿Quién organizó la expedición en que iba Orellana? 7. ¿De qué ciudad salió la expedición? 8. ¿Por qué se separaron Orellana y sus compañeros del resto de la expedición? 9. ¿Por qué no volvieron a ella? 10. ¿Qué oyeron el día de año nuevo? 11. ¿Qué indicaba eso? 12. ¿Por qué era necesario construir otro bergantín? 13. ¿Con qué lo calafatearon? 14. ¿Qué río de agua obscura entra en el Amazonas? 15. ¿Con qué mujeres tuvieron que pelear los españoles? 16. ¿Cómo eran las que vieron? 17. ¿Cómo era la tierra de estas mujeres? 18. ¿Cómo se protegieron los españoles de las flechas envenenadas de los indios? 19. ¿Qué tuvieron que hacer antes de salir al mar? 20. ¿A qué isla llegaron por fin?

II. *Give the opposites:* alegre, algo, alguien, amanecer, a mano izquierda, apartarse, a principios de, atrás, desconocido, desembarcar, despoblado, después, exterior, extraordinario, hallar, incierto, lejos, nacer, río arriba, último.

Colonización de Chile

I. *Supply the place names which will make these statements correct:* 1. Mientras Valdivia estaba en el ____, Francisco Pizarro le mandó conquistar a Chile. 2. A fines del siguiente año llegó al valle de ____. 3. Allí fundó la ciudad de ____. 4. Dos años después un navío lleno de armas y provisiones llegó al puerto de ____. 5. Valdivia fundó la ciudad de la ____ para hacer menos duros los viajes al Perú. 6. Fué al ____ a luchar contra el rebelde Gonzalo Pizarro. 7. Al llegar al puerto del ____ ofreció entrar en el ejército del rey. 8. Después de cruzar el río ____ venció a los rebeldes. 9. Comenzó la vuelta a Chile por la ciudad de ____. 10. Después tendría que atravesar el desierto de ____. 11. Antes de llegar a Chile tuvo que volver a ____. 12. Después de volver a Chile, marchó al sur hacia el río ____. 13. Al otro lado del río estaba la región de ____. 14. Junto al Biobío, Valdivia fundó la ciudad de ____.

II. *Select twelve pairs of synonyms:* abandonar, atravesar, concluir, con dirección a, con rumbo a, cruzar, decidir, dejar, de nuevo, despachar, enviar, intentar, jamás, juntarse, luchar, no obstante, nunca, otra vez, pelear, resolver, reunirse, sin embargo, terminar, tratar de.

Andanzas de Lope de Aguirre

I. *Complete these statements by mentioning the proper persons:* 1. El ____ del Perú decidió mandar una expedición a buscar El Dorado. 2. Nombró jefe de la expedición a don ____. 3. Una moza llamada doña ____ se juntó con la expedición. 4. Los españoles pararon en una isla visitada veinte años antes por ____. 5. En Machifaro algunos rebeldes eligieron jefe de la expedición a don ____. 6. El día de año nuevo mataron a don ____. 7. Luego nombraron maestre de campo a ____. 8. Escribieron un documento justificando ante el ____ lo que habían hecho. 9. ____ añadió a su firma la palabra «traidor». 10. Poco después mató a su rival ____. 11. Los rebeldes decidieron no aceptar más a ____ por rey suyo. 12. Eligieron príncipe a don ____. 13. Don Fernando llamó a los oficiales a consejo sin invitar a ____. 14. Este hizo matar primero a doña ____. 15. Luego mató a don ____. 16. En la isla Margarita prendió y luego ejecutó a don ____. 17. Mandó a tierra firme al capitán ____ a buscar la nave de los frailes de Maracapana. 18. Uno de los ____ fué a Santo Domingo a avisar a la Audiencia. 19. Aguirre murió a manos de dos de sus ____.

IIa. *What English possessive should be used to translate each of the italicized articles?* 1. La espada le atravesó *el* cuerpo. 2. Le besaron *la* mano. 3. Les cogió *los* caballos. 4. El rey nos cortará *la* cabeza.

5. Le quité *las* armas. 6. Se ganaba *la* vida domando potros. 7. Todos se quitaron *la* gorra. 8. Le cogieron *la* capa.

b. *Translate:* de este modo, en adelante, en vez de confesar, estaban para salir, estamos de acuerdo, la casa daba al río, mientras tanto, no tengo la culpa, por desgracia, por último, vamos tierra adentro, ¡viva el rey!

VOCABULARY

This vocabulary includes, with few exceptions, all the words found in the text. It does not include exact cognates with identical meanings or names of unimportant persons or places mentioned only once. Irregular verb forms are given, but radical and orthographic changes are not usually indicated. The following abbreviations are used:

c., about *f.*, feminine *m.*, masculine
pl., plural *p.p.*, past participle *prep.*, preposition

a to; at; of; from; on; against; in; after; — **las (diez)** at (ten) o'clock; — **los (ocho días)** (eight days) later; — **poco** shortly afterward; — **(una legua)** (a league) away
abajo down; below; **más** — farther down; **río** — down stream
abandonar to abandon, give up, leave; maroon
abanicar to fan
abanico fan
abierto *p.p. of* **abrir** opened; outstretched
abolir to abolish
aborígenes *m.* natives
abrazar to embrace; surround, encircle
abrazo embrace
abrigar to shelter, protect
abrigo cloak
abril *m.* April
abrir to open; split; spread; stretch out
absoluto absolute
abundancia abundance, a great many.
abundar to abound, be plentiful, be numerous
acabar to end, finish; — **con** to kill, put an end to; — **de** to have just; —**se** to give out; be completed; come to an end; **al** — upon finishing
acceso access
aceite *m.* oil
aceptar to accept
acerca de about, concerning
acercar to bring up; —**se** to approach, come to, go to
acero steel
acompañar to accompany, go with
aconsejar to advise, counsel
acordar to agree; —**se (de)** to remember
acosar to pursue; harass
acostarse to go to bed
acostumbrar to accustom; **acostumbrado (a)** used (to)
acudir to go (to the rescue), come (to help), hasten
acuerdo accord; **estar de** — to agree
acusación *f.* accusation, charge
acusar to accuse
adelantado military governor (of a frontier province)
adelantarse to go ahead, advance
adelante ahead, on, farther on; **en** — henceforth, from then (that time) on; **seguir** — to go ahead
además (de) besides, also

adentro inside; **tierra —** in(to) the interior; **mar —** out to sea
adivinar to divine, guess
admirar to admire; astonish, amaze; **quedamos admirados** we were astounded
adonde (to) where, to which
adoptar to adopt
adornar to adorn
adorno trimming, ornamentation
adquirir to acquire, assume
advertir to warn, advise; make clear
afable affable, affectionate
afán *m.* eagerness
afilado sharp
afortunadamente fortunately
agitar to wave
agosto August
agradable agreeable, mild
agradar to please
agradecer to be grateful (for), thank (for)
agradecido grateful
agradecimiento gratitude
agricultura agriculture
agua water; **— dulce** fresh water
aguardar to wait (for)
Aguirre, Lope de member of Orsúa's expedition, who eventually became its leader
aguja needle
agujero hole
aguzar to sharpen
ahogar(se) to be drowned, drown
ahora now; **— mismo** right now
ahumar to smoke
aire *m.* air; **al — libre** in the open; **tomar el —** to get (some) fresh air
al to the; at the; on the; in the; **— (ver)** on (seeing); **— poco tiempo** soon afterwards; **— que** to that which
ala wing
alarma alarm; **tocar —** to sound the alarm
alarmar to alarm
alcalde *m.* mayor
alcanzar to overtake, reach
alcohólico alcoholic
aldea village
alegrar to make glad, cheer up, delight; **—se (de)** to rejoice (at), be glad (to)
alegre happy, joyful
alegría joy; **llorar de —** to weep for joy
alejarse to go away
Alemania Germany
alfiler *m.* pin; stinger (of a sting-ray)
algo something; somewhat, rather
algodón *m.* cotton
alguacil *m.* constable
alguien someone, anyone
algún, alguno some, any; someone
alimentar to feed
alimenticio nourishing
alimento food
alma soul
Almagro, Diego de associate, later enemy and victim, of Francisco Pizarro
almirante *m.* admiral
alrededor (de) around
alternativa alternative
altísimo very high
alto high, tall; long; loud; **en —** into the air; **(ocho pulgadas) de —** (eight inches) high; **en alta mar** on the high seas; **en la parte más alta** at the top; **lo —** the top
altura(s) height(s), promontory
Alvarado, Pedro de Spanish soldier who served with Cortés in Mexico and later conquered Guatemala (1523)
alzar to raise, lift, hoist; set up; **—se** to raise; revolt; **— velas** to set sail
allá there; **por —** over there
allí there; **— mismo** right there; **por —** near there
amanecer to dawn; **al —** at dawn; at daybreak; **antes (después) de(l) —** before (after) daybreak
amante (de) fond (of)
amar to love
amargo bitter
amarillo yellow
amazona Amazon
Amazonas *m.* Amazon (River)
ambos both, the two
amenaza threat

América America; **la — del Norte** North America; **la — del Sur** South America; **Norte —** North America; **Sud —** South America
amigo friend; friendly
amistad *f.* friendship; **hacer —** to make friends
amo owner, master
amor *m.* love
amoroso loving; of love
amparo protection; **al —** under the protection
anciano old man
anclar to anchor
ancón *m.* inlet
anchísimo very wide
ancho wide; **tener (media legua) de —** to be (half a league) wide, in width
anchura width
Andalucía Andalusia (region of southern Spain)
andanzas adventures, doings, exploits; good or bad luck
andar to walk, go, travel; be
andas litter, palanquin
Andes *m.* huge mountain range running from north to south in western South America
anduvieron, anduvimos *see* **andar**
ángulo angle; sharp edge
animal *m.* animal; **— del monte** wild animal
animar to cheer, encourage; keep up, keep going; **—se** to cheer up, take courage
ánimo courage, spirit; **coger —** to pluck up courage; **con —s** high-spirited; **levantar el —** to cheer up
anoche last night
anochecer to grow dark; *m.* nightfall; **al —** at nightfall
ansia eagerness
antaño formerly
ante before, in the presence of
anterior previous, before
antes before, formerly, first, at first; **— que** rather than; before; **poco —** shortly before
antes de before; **— salir el sol** before sunrise; **— que** before
antiguo old
Antillas *f.* Antilles, West Indies
antorcha torch
anunciar to announce
añadir to add
año year; **al —** a year, yearly; **tener (cinco) —s** to be (five) years old
apagar to extinguish, put out; quench; **—se** to go out
Apalache *m.* river of western Florida; Indian village on the Apalachicola River
aparecer(se) to appear; be
Aparia most important of the Indian chiefs met by Orellana on the Amazon
apartado distant, aloof
apartar to remove; **—se** to go away, go off, withdraw
aparte apart
apenas hardly, scarcely
aprender to learn
apresurarse to hasten, hurry
aprobar to approve
aprovechar to take advantage of, make the most of, profit by; avail, do good
apuntar to note, record; point
Apurímac *m.* river of central Peru
aquel, aquella that; *pl.* **aquellos, aquellas** those
aquél, aquélla, aquello that one; the former; that; *pl.* **aquéllos, aquéllas** those; the former
aquí here; **— mismo** right here
araucanos Araucanian Indians (of Chile)
Arauco region of central Chile, south and west of the Biobío River, belonging to the Araucanian Indians
árbol *m.* tree; **— frutal** fruit tree
arcabuz *m.* harquebuse (an old firearm, the immediate predecessor of the musket)
arco bow
arder to burn; be red hot
área area
arena sand
Arequipa city of southern Peru
Argentina (la) second largest of the South American republics

Arica city of northwestern Chile
árido arid, dry
aritmética arithmetic
arma *f.* arm; **¡al —!** to arms! **— de fuego** firearm; **—s** armor
armada fleet
armar to arm
arrastrar to drag
arreglar to arrange, settle
arrestar to arrest, capture
arriba up, above, on top; **hacia —** upward, uphill; **río —** upstream
arrodillarse to kneel
arrogancia arrogance, conceit, pride
arrogante arrogant, haughty
arrojar to throw; shoot; **—se** to plunge
arrojo daring, fearlessness
arroyo stream; channel
arte *m.* art; architecture; beauty; grace; skill
artículo article
artificial artificial, hand-made
artillería artillery
artista *m.* artist
artístico artistic
asaltar to assault; surprise
asar to roast, cook; **sin —** raw
asegurar to assure, assert
asentir to assent, agree
así thus, so, in this way; therefore; as much; **— como** just as
asiento seat
asimismo likewise, also
áspero rough
aspirar to breathe in, inhale
astucia cunning
Asunción historic city on the Paraguay River, capital of Paraguay, founded in 1537 by Juan de Ayolas
asustar to frighten, scare, alarm
Atacama *m.* desert in the Andean plateau between Argentina, Chile and Bolivia
atacar to attack
Atahualpa last Inca ruler of Peru
ataque *m.* attack
atar to tie
atención *f.* attention
atender to tend to; heed, consider
Atienza, Inés de Spanish girl, member of Orsúa's expedition
Atlántico Atlantic
atraer to attract, win over
atrás behind, back; before
atravesar to cross; pierce
atreverse (**a**) to dare (to)
atribuir to attribute
atrocidad *f.* atrocity
Audiencia court of justice which acted as an advisory council to the viceroy; in his absence it took over his executive powers
aumentar to increase, strengthen; raise
aun even, yet, still
aún yet, still
aunque although
ausencia absence
austral southern
Aute region north of Apalachicola Bay
auténtico authentic, reliable
autor *m.* author
autoridad *f.* authority; authorities
autorizar to authorize
avanzada outpost
avavares *m.* important tribe of Texas Indians
ave *f.* bird; game; **casa de —s** aviary
Ave María prayer to the Virgin beginning, "Hail, Mary"
aventura adventure
aventurero adventurous
averiguar to find out, learn (of)
avisar to announce, give notice
aviso notice, warning; **estar sobre —** to be on one's guard
¡ay! alas!
ayer yesterday
Ayolas, Juan de (1493–1539) Spanish captain who explored the Plata and the Paraguay, killed by the Indians
ayuda help, aid
ayudar to help
Azores *f.* group of islands in the north Atlantic

babor *m.* port, larboard (left side of a ship looking from stern to bow)
bagaje *m.* baggage

Bahamas *f.* group of small islands southeast of Florida; among them is San Salvador, on which Columbus made his first landing in America
bahía bay; — **de los Caballos** Apalachicola Bay (called **bahía de los Caballos** because it saw the last of the horses of Narváez's expedition)
bailar to dance
baile *m.* dance, dancing
bajar to bring down, lower; be less; come down, go (down), swoop down; get off; humble; — **a tierra** to go ashore; **no bajaba de** was no less than
bajo low, lowered; *prep.* under
balsa barge; raft
ballesta crossbow; **a dos tiros de** — twice as far as a crossbow can shoot
banco bank, reef, shoal
bandera banner, flag
Bandera, Alonso de la member of Orsúa's expedition
bañar to bathe; —**se** to take a bath
baño bath, bathroom
baranda railing
barba beard
barca boat, rowboat
barco ship, boat
Barquisimeto city of western Venezuela
barra bar, bank
barranca ravine, gorge
barranco ravine, gorge
barrera barrier
barril *m.* barrel, cask
barro clay
bastante enough, plenty; quite; **lo** — sufficiently, enough
bastar to be enough, suffice; **con el nombre les basta** the name is enough
batalla battle
bebedor *m.* drinker
beber to drink; —**se** to drink up
bebida drink, beverage
bejuco wicker; large climbing plant
bello beautiful
bellota acorn
beneficio: en — **(nuestro)** on (our) behalf
benévolo benevolent
bergantín *m.* brigantine (a small, fast, two-masted vessel)
besar to kiss
bien well, thoroughly
bienvenida: dar la — to welcome
bienvenido welcome
Biobío (Bio-Bío) river of central Chile, the northern and eastern frontier of Arauco
bizcocho hardtack (large, unsalted, hard-baked biscuit)
blanco white; *m.* bull's eye; **hacer** — to hit the mark; **ropa —a** bed linen
blando soft
Bobadilla, Isabel de wife of Hernando de Soto
boca mouth; opening; inlet; crater
bocina horn
boda wedding; marriage; match
bodega hold (of a ship)
bolsa bag, pouch
bomba pump; **poner manos a la** — to begin to pump
bonanza (spell of) fair weather
bondad *f.* kindness, good will
bonete *m.* cap
bordo: a — on board
bosque *m.* forest
bote *m.* small boat, rowboat
Bracamoros river of northern Peru emptying into the Marañón
Brasil (el) Brazil (the name means red or orange-colored dyewood); **palo brasil** Brazil wood
bravo wild, savage, fierce, venomous
brazo arm; fork (of a river); — **de mar** inlet
brea pitch
breve brief
brillante brilliant, bright; *m.* diamond
brillar to shine
brillo splendor, brilliance
brisa breeze
broma jest, joke, trick
buen, bueno good; well
Buenos Aires capital of Argentina
buey *m.* ox
Burburata (la) port of Venezuela
burla joke(s), mockery

burlar to cheat, trick; —**se de** to make fun of
busca search; **en — de** in search of, looking for
buscar to seek, look for; try; get

caballería cavalry
caballero gentleman, cavalier
caballo horse; **a —** on horseback, mounted
cabello hair; (corn) silk
caber to be contained, fit; hold; **no cabían** there was no room for them
cabeza head
Cabeza de Vaca *see* **Núñez Cabeza de Vaca, Alvar**
cabo end; cape, promontory; **al —** at the end, at last; **— Deseado** promontory at the Pacific end of the Strait of Magellan
Cabo Verde, islas de Cape Verde Islands (west of Dakar, Africa)
cacique *m.* (Indian) chief
cada each, every; **— vez más** more and more
cadena chain
Cádiz seaport of southwestern Spain
caer(**se**) to fall; **— en** to realize; **dejar —** to drop
caigan *see* **caer**
caja box; lock, stock
calabaza gourd, pumpkin
calafatear to caulk
calamidad *f.* calamity; pest
calentar to heat, warm, give off heat; —**se** to get warm
calidad *f.* quality
caliente hot, warm
calma calm; **en —** quiet
calmar to appease, pacify; —**se** to calm down
calor *m.* heat; **hacía —** it was hot
calzada causeway (a raised road over water or swamp)
Callao (**el**) port of Peru, fourteen miles from Lima
calle *f.* street
cama bed
cambiar (**de**) to change, shift
cambio exchange; **a — de** in exchange for; **en —** on the other hand
caminar to walk, march, travel
camino way, road; path, trail; route, course; **a mitad de —** half way; **— real** highway
camisa shirt
campaña campaign
campiña(**s**) countryside
campo field; battle field; **corredor de —** scout, runner; **maestre de —** field marshal, second in command
Can: Gran — Grand Khan, name given in Columbus' day to the Emperor of China, though that title had become extinct in China in 1368
Cananea port of Brazil
Canarias *f.* Canary Islands, seven large and six small islands southwest of Morocco
canción *f.* song
Candelaria Spanish settlement on the Paraguay River
canela cinnamon
cangrejo crab
canoa canoe
cansado tired
cansar to tire; —**se** to get tired
cantar to sing
cantidad *f.* quantity, amount
cantina canteen
canto song; singing
caña reed, cane
caño pipe
cañón *m.* cannon
capa cape, cloak
capitán *m.* captain; **— general** captain general, supreme commander
capitana: nao — flagship
capricho caprice, whim
captura capture
capturar to capture
cara face
carabela caravel (a light, swift sailing vessel used for long voyages; it was narrow at the poop, wide and high at the prow, and had large square sails; the *Pinta* and the *Niña* were caravels)
carácter *m.* character, disposition
carbón *m.* charcoal
carbonero charcoal maker

carecer (de) to lack
carga cargo, load
cargar (de) to load (with)
cargo office, position, rank; **se dividieron los —s** they divided the commissions among themselves
Caribe: mar — Caribbean Sea
cariño affection; **con —** kindly
Carlos Quinto Charles the Fifth (1500–1558), king of Spain and emperor of Germany
carne *f.* meat, flesh
carpintero carpenter
carrera career; race, running, course
carretera road
carro cart, wagon
carta letter; **— de navegar** mariner's chart
Cartagena port in northern Colombia; **Juan de —** one of Magellan's captains
casa house; household; **a (en) — de** to (in) the house of; **— de aves** bird house, aviary
Casaquiari *m.* river, known also as the Casaquiari Canal, joining the río Negro and the Orinoco
casar (con) to give in marriage (to); **—se con** to marry
Casas, Bartolomé de las (1475–1566) Spanish missionary of the Dominican order, best known as champion of the Indians
cascabel *m.* small bell; **serpiente de —** rattlesnake
caserío village, settlement, cluster of huts
casi almost
caso case; **hacer —** to pay attention
castellano Castilian, Spanish; *m.* Spaniard; old Spanish gold coin worth about three dollars
castigar to punish
castigo punishment; **quedar sin —** to go unpunished
Castilla Castile
Castillo, Alonso del one of Cabeza de Vaca's three companions in his journey across North America
Catamatzín nephew of Montezuma
catarata cataract
catedral *f.* cathedral
catorce fourteen
cauce *m.* channel, river bed
causa cause; **a — de** because of
causar to cause, occasion
cautivar to captivate; take prisoner
cautiverio captivity
cautivo captive
cayendo, cayera(n), cayeron, cayó *see* **caer**
caza game; hunting, chase
cazabe *m.* cassava, yucca bread
cazar to hunt, shoot
cedro cedar
celebrar to celebrate, hold (a celebration)
célebre celebrated, famous
celo jealousy
Cempoal town near Vera Cruz
cenar to dine, have supper
ceniza(s) ashes
centinela *m.* sentry; watch
centro center
cera wax
cerca near, nearby, close; **— de** near; *f.* fence
cercano close, near, nearby
cerdo pig; **— montés** wild pig, wild boar
ceremonia ceremony
cerrar to close (up); clench; **cerró la noche** night fell
cerro hill
cesar (de) to cease, stop
cesta basket
cielo sky; heaven
cien, ciento (one) hundred
ciencia science
ciento *see* **cien**
cierto (a) certain; sure; **por —** for sure; **tener por —** to believe
cima summit
cinco five
cincuenta fifty
Cintra city northwest of Lisbon, near the westernmost promontory of the mainland of Europe
cintura waist; belt
Cipango Japan (name given the country by Marco Polo, who travelled there in the thirteenth century)

círculo circle
citar to quote; mention (above)
ciudad *f.* city
civilización *f.* civilization
claro clear; light; clearly
clase *f.* class, kind
clavar to nail, fix; plant; set up
clavo nail
clima *m.* climate
cobre *m.* copper
cobro collection(s)
Cocama *m.* river of Peru which empties into the Marañón
cocer to cook; boil
cocina kitchen; **servicio de —** kitchen utensils
cocinar to cook
coger to catch, get, seize, obtain, take (on); collect, pick up
cola tail
colgar to hang
colocar to place, put; gather
Colón, Cristóbal Christopher Columbus (1451–1506)
colonia colony
colonización *f.* colonization
coloqué *see* **colocar**
colorado red
collar *m.* necklace
combinar to combine
comentario commentary, account
comenzar to begin
comer(se) to eat
cometer to commit
comida meal; food
como like; as; as if; how; since; **así —** just as; **— si** as if; **tan . . . —** as . . . as
cómo how; **¿— eran?** what were they like?
compañero companion, comrade; man
compañía company, body
comparación *f.* comparison
compás *m.* compass
compasión *f.* compassion, pity
compensar to make up for
complacer to please, humor
completo complete, in full; **por —** completely
componerse de to consist of
comprar (a) to buy (from)
comprender to understand
compuesto *p.p. of* **componer** composed
común common
comunicar to communicate, pass on
con with; on; over; **— cuidado** carefully; **— tal que** on condition that
conciencia conscience
concluir to conclude, finish
conclusión *f.* conclusion
concha shell
conde *m.* count
conducir to conduct, lead, take
conducta conduct
condujera, condujeron, condujimos, condujo *see* **conducir**
conejo rabbit
confesar to confess, go to confession
confesión *f.* confession
confesor *m.* confessor
confianza confidence, faith
confiar to trust; **confiado en que** trusting in the fact that
confirmación *f.* confirmation
confirmar to confirm
confundir to overwhelm
confusión *f.* confusion
conmemorar to commemorate
conmigo with me
conmovedor touching
conocedor (de) familiar, well acquainted (with)
conocer to know, be familiar with; **dar a —** to make known
conocimiento acquaintance; knowledge
conozco *see* **conocer**
conquista conquest
conquistador *m.* conqueror
conquistar to conquer
consecuencia consequence
conseguir to obtain, get; find; manage to; succeed in
consejero counsellor, adviser
consejo council, meeting, conference; advice
consentir (en) to consent (to)
conservar to save, keep
considerar to consider
consigo with him, with them; **llevar (traer) —** to take (bring) along

consistir to consist, be; — **en** to consist of
consolar to console, comfort; —**se** to take courage
conspiración *f.* conspiracy
conspirar to plot
construcción *f.* construction
construir to construct, build
construyen, construyó *see* **construir**
consumir to use up
contador *m.* purser; paymaster; accountant
contar to count; relate, tell; — **con** to count on
contener to hold back
contento contented, satisfied
contestar to answer, reply
continente *m.* continent
continuamente continually, constantly
continuar to continue
continuo continuous, constant
contra against; **en — (nuestra)** against (us)
contribución *f.* tax
convencer to convince
conveniente convenient, advisable
convenir to be fitting, advisable, advantageous, well, proper; **nos conviene** it behooves us
conversación *f.* conversation
convertirse to become, form
copa cup, glass
copia copy
Coquimbo valley of northern Chile whose principal city is La Serena
coquina coquina (soft shelly stone)
coraza armor
corazón *m.* heart; **Corazones** Mexican town on the Sonora River
cordaje *m.* rigging
cordillera cordillera, mountain range
Córdoba province and city in southern Spain
corona crown
Coronado, Francisco Vásquez de (c. 1500–1554) Spanish explorer of the American Southwest (1540–1542)
coronar to crown
Corpus Christi church festival in honor of the Eucharist, falling on the first Thursday after Trinity Sunday, celebrated throughout the Spanish world with processions and pageantry
corral *m.* corral (enclosure for live stock)
corredor (de campo) *m.* scout, runner
correo mail; postman, courier
correr to run; flow; ride
corriente *f.* current
cortar to cut, cut down, cut off; bite
corte *f.* court
cortés courteous, polite
Cortés, Hernán (1485–1547) Spanish conqueror of Mexico
cortesía courtesy
corto short
cosa thing; **poca —** of no account; **no saber gran —** not to know much
coser to sew, sew up, sew together
costa coast; expense
costado side
costar to cost
costear to skirt the coast
costumbre *f.* custom; **de —** usual
crear to create
crecer to grow, increase, swell
credo creed
creer to believe, think; **creyeron bien** they thought it would be well
cresta crest
creyendo, creyeran, creyeron, creyó *see* **creer**
criado servant
criar to rear, bring up, nurse
crimen *m.* crime
cristal *m.* crystal
cristiandad *f.* Christianity, Christendom
cristiano Christian; Spaniard
crónica chronicle, history
cruces *see* **cruz**
crueldad *f.* cruelty
cruz *f.* cross; — **austral** Southern Cross
cruzar to cross
cuadrado square

cual which, who; **el, la —** which, who; **lo —** which; **los —es** whom; **por lo —** for which reason
cuál which
cualidad *f.* quality
cualquier, cualquiera any (at all); any one; *pl.* **cualesquiera** any
cuando when; **de vez en —** from time to time
cuanto as much as, all that, everything that; whatever; how much; **en — a** as for
cuánto how (much); **cuánto me alegro (de)** how happy I am (to)
cuantos all that, all those, as many as, how many; **unos —** some, a few
cuántos how many
cuarenta forty
cuarto fourth, quarter; room
cuatro four
cuatrocientos four hundred
Cuba largest island of the West Indies
cubierto *p.p. of* **cubrir** covered
cubrir to cover; roof
cuchillo knife
cuello neck; **al —** around his neck
cuenca basin
cuenta bead; account; **dar —** to explain, give an account; **darse — de** to realize; **llevar —** to keep an account; **por su propia —** by himself; **sin —** countless; **tener en —** to take into account
cuerda cord, rope, string, cable; rigging
cuerno horn
cuero leather; skin, hide
cuerpo body; garrison
cuesta hill, slope; **— abajo** downhill; **— arriba** up-hill; **a —s** on their backs
cueva cave, cellar
cuidado care, worry
cuidar to take care of, look after, watch
Culiacán town in northwestern Mexico, not far from the Gulf of California
culpa blame, fault, guilt; **tener (la) —** to be to blame; **por su —** because of him
culpable guilty (person)
culpar to blame
cultivar to cultivate, till
cumplir (con) to fulfill, carry out, obey
cura cure, treatment
curar to cure, treat, care for, heal
cuyo whose
Cuzco (el) Peruvian city, once capital of the Inca empire

chacán *m.* (probably) juniper berries
Chalco Mexican city southeast of the capital
chasqui *m.* messenger, runner
chico, chica boy, child, girl
chicha intoxicating drink commonly made of corn
Chile in the sixteenth century, a Spanish province; now a South American republic
chile *m.* hot red or green pepper
chileno Chilean
China (la) China
chispa spark; **sacar —s** to strike sparks
chocar to hit, run into (onto), collide
Cholula Mexican city southeast of the capital
choque *m.* collision
choza hut; post-house
chupar to suck, draw; smoke; inhale

dama lady
dañar to spoil, damage, injure
daño harm, damage, wrong; injury, detriment; **en — suyo** against them; **hacer —** to harm, injure
dar to give; strike; **— a** to face; **— a conocer** to make known; **— gusto** to be a pleasure; **— miedo** to be terrifying; **— muerte** to kill; **—se cuenta de** to realize; **— voces** to shout; **darse a entender** to make one's self understood
de of, about; in; as; by; after; for; with; from; **más —** more than; **más — lo que** more than
debajo (de) under
deber to owe; ought; **debe (ser)** (it) must (be); **debería darle** he

should give him; **debían de ser** (they) probably were; **debido a** due to; **debo añadir** I must add; **—se** to be due
deber *m.* duty
débil weak
debilidad *f.* weakness
decidir(se) to decide, be decided
decir to say, tell; **es —** that is (to say); **mandar —** to send word; **querer —** to mean; **— que sí** to say yes, assent
declarar to declare, state
decretar to decree
dedicar to dedicate, devote
dedo finger; toe; **— del pie** toe
defender to defend
defensa defense
Defoe, Daniel (1660–1731) author of *Robinson Crusoe* (1719)
deis *see* **dar**
dejar to leave, let, allow; **— de** to stop; **— caer** to drop
del from the; of the, about the; in the
delante de in front of, before, ahead
delatar to denounce, accuse
delicado frail, slight, delicate
delicioso delicious
delincuente *m.* offender
delito crime
demás rest, other(s); **lo —** the other things
demasiado too (much); **— bien** all too well
demonio demon, devil
dentro in (it), inside, within; **— de** inside of; **— de poco** within a short time
depósito deposit, reserve, supply
derecho straight; right; **— a** straight ahead to; **a mano —a** to the right; **a la —a** to the right; *m.* right
derribar to knock down; knock off; overthrow
desaparecer to disappear
desarmar to disarm
desarrollarse to take place
desastroso disastrous
desayunar(se) (con) to breakfast (on)
descansar to rest
descanso rest
descendiente *m.* descendant
desconocido unfamiliar, unknown
descontento dissatisfied; unfriendly
describir to describe
descrito *p.p. of* **describir** described
descubierto *p.p. of* **descubrir** discovered; uncovered
descubrimiento discovery
descubrir to discover; explore; uncover; see
descuidado careless, unawares, unprepared
descuidar(se) to neglect (one's duty), be neglectful (of)
descuido neglect, carelessness
desde from, since
deseado hoped for
desear to desire, wish, want, like
desembarcar to land, go ashore
desenredar to disentangle
deseo desire
deserción *f.* desertion
desertar to desert
desertor *m.* deserter
desesperar(se) to despair
desgracia misfortune; mishap; **por —** unfortunately
desierto deserted, uninhabited, desolate; *m.* desert
designar to designate
deslumbrar to dazzle
desnudo naked, bare
desobediencia disobedience
despacio slowly
despachar to dispatch, send
despedir to send off, dismiss; **—se (de)** to take leave (of), say goodbye (to)
despertar to wake up, awaken
despierto awake
despoblado uninhabited; *m.* wasteland, desert, wilderness
despotismo despotism
despreciar to disdain, slight, scorn
desprecio scorn, contempt, disdain
después afterward, later, then; **— de** after; **— que** after; **poco —** shortly afterward
destino destiny, fate
destrozar to destroy, shatter
destruir to destroy

destruyera, destruyó *see* **destruir**
detener to stop, keep, hold (back); **—se** to stop, wait
determinar to determine, decide
detrás behind; **— de** behind, after
detuvieron, detuvimos, detuvo *see* **detener**
deuda debt
devolver to return, give (send) back; restore
di *see* **decir**
dí, dió *see* **dar**
día *m.* day; **al —** daily; **al otro —** the next day; **de — ** by day; **— de año nuevo** New Year's day; **todos los —s** every day
diablo devil
dialecto dialect
diario daily; *m.* diary, journal, log
Díaz del Castillo, Bernal (1492?–1581?) captain under Cortés and chronicler of the conquest of Mexico
diciembre *m.* December
dictar to dictate
dicho *p.p. of* **decir** said
diente *m.* tooth
diera, diéramos, dieran, dieron *see* **dar**
diez ten
diferenciarse to differ
diferente different
difícil difficult, hard
dificultad *f.* difficulty, trouble
diga, digamos, digo *see* **decir**
digno worthy
dije, dijera, dijimos, dijo *see* **decir**
dilema *m.* dilemma
diligencia earnestness, enthusiasm, zeal
dimos, dió *see* **dar**
dinero money
Dios *m.* God
dios *m.* god
dirás *see* **decir**
dirección *f.* direction; **con — a** towards
directamente directly, straight, right on
dirigir to direct, steer; address; **—se** to address, go to, make one's way
discreción *f.* discretion
disparar to fire, shoot
displicente fretful, angry
disposición *f.* disposition; disposal
dispuesto *p.p. of* **disponer** willing, ready
disputa dispute, argument
distancia distance; **a una legua de —** a league away
distar to be distant
distinguido distinguished
distinguir to distinguish, tell
distinto different
diversidad *f.* variety
diversión *f.* amusement
diverso diverse, varied, various
dividir to divide
divino divine
división *f.* division
doble: el — twice as many (much)
doce twelve; **a las —** at twelve o'clock
docena dozen
documento document
doler to pain; hurt, depress, grieve
dolor *m.* pain; grief, sorrow
domar to break (horses)
domingo Sunday
dominico Dominican (belonging to an order of friar preachers founded in 1215)
dominio domain
don *m.* untranslatable title prefixed to a man's given name
donde where; **por —** through (over) which; where, wherever
dónde where
dondequiera anywhere (at all)
doña *f.* untranslatable title prefixed to a woman's given name
Dorado, El imaginary land of fabulous wealth, supposed by the Spanish explorers to be somewhere in South America
Dorantes, Andrés one of Cabeza de Vaca's three companions in his journey across North America
dormir to sleep; **—se** to go to sleep
dos two
doscientos two hundred
ducado ducat (gold coin worth somewhat more than two dollars)
duda doubt

dudar (**de**) to doubt
dueño owner, master
dulce sweet; fresh
dulzura sweetness, kindness
durante during, for
durar to last; extend
durísimo very hard
duro hard; harsh, rough; difficult; *m.* Spanish silver coin similar to a dollar

e (*before word beginning with* **i** *or* **hi,** *but not* **hie**) and
echar to throw, cast; launch; erupt; — **al agua** to lower; — **sangre** to bleed; **le echó al cuello** threw around his neck; —**se** (**a**) to jump, plunge (into)
ecuador *m.* equator
edad *f.* age
edificar to build
edificio building
efecto effect; **en** — in fact, as a matter of fact
ejecución *f.* execution; death
ejecutar to execute, kill
ejemplo example
ejército army
el the; — **de** the one from, the one of; that of; — **que** he who, whoever, the one who, which, that which
él he, it, him
elegancia elegance
elegante elegant
elegir to elect, choose
elemento element
elijamos *see* **elegir**
eliminar to eliminate, kill
ella she, it, her
ellas they, them
ello it, that, this
ellos they, them
embarcar(**se**) to embark, go on board, set sail
embargo: sin — however
embarqué *see* **embarcar**
emborrachar to intoxicate, make drunk
empeñarse (**en**) to insist (that)
empeño insistence, determination
emperador *m.* emperor
empezar to begin, start
emplear to employ, use
emprender to undertake, start
empresa enterprise, undertaking
empujar to push
en in; to; at; on; — **seguida** at once; — **vez de** instead of
enamorado in love with; fond of; *m.* lover
enamorar to court, woo, make love to
encantar to charm, enchant
encanto enchantment, magic; charm; beauty
encargar to put in charge of; **los encargados** those in charge (of), charged (with)
encender to light; **piedras encendidas** red-hot stones
encerrar to shut up; —**se** to retire
encima on, on top; — **de** on top of; **llevar** — to have on
encomendar to commend
encontrar to find; run into; —**se** to be, be located; come to; —**se** (**con**) to meet
encuentro meeting; **a** (**nuestro**) — to meet (us)
enemigo enemy
enero January
enfadar to anger; —**se** to get angry
enfermar to sicken, make sick; —**se** to get sick
enfermo sick; **caer** — to take sick
enfrente in front
engañar to deceive, cheat
engaño deceit, trick
enojado angry, sullen
enojar to anger, annoy
enojo anger, displeasure
enorme enormous, huge
enseñar to teach; show
entena lateen yard
entender to understand; **darse a** — to make one's self understood; **tener entendido** to understand
entendimiento understanding
entero whole
enterrar to bury
entonces then, later; **por** — for the moment
entrada entrance; outskirts; arrival

entrar to enter; — **a servir** to begin to serve; — **bajo** to get under
entre between, among; **por** — through
entregar to deliver, hand over, give
entusiasmo enthusiasm
envenenar to poison
enviar to send
envidia envy
envidiar to envy
envolver to wrap
envuelto *p.p. of* **envolver** wrapped
época epoch, time
equilibrio balance
equivocarse to be mistaken
era, éramos, eran *see* **ser**
es *see* **ser**
escalera stairs, stairway, steps
escapar(se) to escape
esclavitud *f.* slavery
esclavo slave
escoger to choose
esconder(se) to hide
escribano notary, clerk
escribir to write
escrito *p.p. of* **escribir** written
escritor *m.* writer
escuadrón *m.* squadron
escudo shield
escuela school
ese, esa that; *pl.* **esos, esas** those
ése, ésa that one; the former; that; *pl.* **ésos, ésas** those; the former
esfuerzo effort
esmeralda emerald
eso that; **por** — for that reason, that's why
espacio space, room
espada sword; **rey de —s** King of spades
espalda back; shoulder; **volver de —s** to turn over; **volver la —** to turn one's back, turn back
espantar to scare, frighten
espantoso frightful, awful, terrible
España Spain; **Nueva —** Mexico
español Spanish; *m.* Spaniard
Española Hispaniola (island which now contains the republics of Santo Domingo and Haiti)
especia spice
especial special
especie *f.* sort, kind
espectáculo spectacle, view
espejo mirror, glass
esperanza hope
esperar to hope; expect; await, wait (for); — **en Dios** to have faith in God
espeso thick, dense
espía *m.* spy
espiar to spy on
espíritu *m.* spirit
espiritual spiritual, of high ideals
espléndido splendid, magnificent
esplendor *m.* splendor
espuma foam
está, están, estás *see* **estar**
establecer to establish; restore
estaca stake
estación *f.* season
estado state; situation; estate; **Estados Unidos** United States
estanque *m.* pool, cistern
Estapalapa city south of the capital of Mexico, formerly on the lake which surrounded it
estar to be; stay; — **de acuerdo** to agree; — **para** to be about to
estatura stature, height
este, esta this; *pl.* **estos, estas** these
este *m.* east
éste, ésta this one; the latter; this; he; *pl.* **éstos, estas** these; the latter; they
Estebanico one of Cabeza de Vaca's three companions in his journey across North America
estesudeste *m.* east southeast
estilo style
esto this; this thing, this affair; **en** — at this point
estoy *see* **estar**
estratégico strategic
estrecho narrow; *m.* strait; — **de las Once Mil Vírgenes** first name given to the Strait of Magellan
estrella star; — **polar** North Star
estrellar to dash (against), run (onto)
estribor *m.* starboard (right side of a ship looking from stern to bow)
estudiar to study
estuve, estuviéramos, estuvieran, estuvimos, estuvo *see* **estar**

etcétera and so forth
eterno eternal, undying, everlasting
Europa Europe
europeo European
evadir to avoid, ward off
evitar to avoid, prevent
exagerar to exaggerate
examinar to examine, observe, go over
exceder to excel, surpass
excelente excellent
excepción *f.* exception
excesivo excessive
exclamar to exclaim
exclusivamente exclusively
excusa excuse
excusar to excuse
exigir to demand
existir to exist
éxito success
expedición *f.* expedition
experiencia experience
explicación *f.* explanation
explicar to explain
exploración *f.* exploration
explorador *m.* explorer
explorar to explore
explotar to exploit, take advantage of
exponer to expose; **—se** to risk one's life
expresar to express
exquisito exquisite, delicious
extenderse to spread
extenso extensive, full
extraño strange, queer
extraordinario extraordinary, special
extremo extreme; **en —** extremely

fabuloso fabulous
fácil easy
facilidad *f.* ease
facilitar to facilitate
fácilmente easily
falso false; falsified
falta lack, need; mistake
faltar to lack, be missing, be lacking
fama fame
familia family
familiarmente familiarly
famoso famous
fanega dry measure (approximately 1.6 bushels)
fantasma *m.* ghost
farol *m.* lamp; (in Magellan's ships) wooden torch
fatiga fatigue, toil, hardships
fatigar to tire; exhaust; **—se** to be fatigued, annoyed
favor *m.* favor, behalf
favorecer to favor, help, aid
favorito favorite
fe *f.* faith, word
febrero February
fecha date
felices *see* **feliz**
Felipe Segundo Philip the Second (king of Spain who reigned 1556–1598)
feliz happy
feo ugly
fermentar to ferment
feroz ferocious, savage
fértil fertile
fiarse (de) to trust
fibra fibre
fiel faithful, loyal
fiera beast; **— del monte** wild beast
fiesta fiesta, feast, celebration; joy, rejoicing; **día de —** holiday; **hacer —** to make merry, celebrate
figura figure; aspect, appearance, "looks"; **hacer buena —** to make a good appearance
figurar to figure, be, be considered
fijar to fix, set, fasten
fijo fixed, set
fila rank, file, row, line
fin *m.* end; purpose; **a —es de** toward the end of; **al —** finally, at last, at the end, after all; **en —** in short; **por —** at last, after all
fingir to feign, pretend, make believe; **—se** to pretend to be
finísimo very fine
fino fine, excellent; thin; polished; polite
firma signature
firmar to sign
firme firm; **tierra —** mainland
flauta flute
flecha arrow
flechar to shoot at (with arrows)

flor *f.* flower
Florida (la) Florida
florido flowery, beautiful
flota fleet
flotante floating
flotar to float
foca seal
fogón *m.* stove
fondo bottom
forma form
formar to form
fortaleza fortress, fort
fortificar to fortify
fortuna fortune; adventure; riches, wealth
forzar to force
fracasar to fail
fraile *m.* friar
Francia France
frase *f.* phrase, words
Fray *m.* Brother
frecuentar to frequent, visit
frecuente frequent
frente *f.* forehead; *m.* front; **— a** in front of, facing, before; **al — de** at the head of
fresco cool; *m.* cool air, breeze; **tomar el —** to get (some) fresh air
frijol *m.* bean, kidney bean
frío cold; **hacer (mucho) —** to be (very) cold
fruta fruit
frutal fruit-bearing
fué *see* **ir** *and* **ser**
fuego fire; **arma de —** firearm; **hacer —** to fire, open fire; make a fire; **poner — (a)** to set fire (to); **sacar —** to strike fire
fuelle(s) *m.* bellows
fuente *f.* fountain; source
fuera (de) outside (of)
fuera, fuéramos, fueron *see* **ir** *and* **ser**
fuerte strong; *m.* fort
fuerza(s) strength, force, might; **a — de brazos** by manual labor
fuga flight; **poner en —** to put to flight
fuí, fuimos *see* **ir** *and* **ser**
fumar to smoke
fundación *f.* founding
fundar to found
furia fury

Gallegos, Baltasar de one of De Soto's officers
galleta cracker, hardtack
gallina hen, chicken, fowl
gallo rooster
ganado cattle, animals
ganar to gain, win, make; **—se la vida** to earn one's living
garbanzo (grano de) chick-pea
Garcilaso de la Vega, el Inca (1540?–1615?) Peruvian writer, author of the *Comentarios reales* and *La Florida del Inca*
garganta throat; entrance, inlet, channel
Gasca, Pedro de la Spanish cleric sent to Peru in 1546 by Charles V to put an end to the civil war in that colony
gastar to spend; wear out; **tenía los dedos tan gastados** my fingers were so raw
gato cat
general general; *m.* general, commander
género kind, sort, species, class
generosidad *f.* generosity
genio genius
gente *f.* people, men, folks
geografía geography
geometría geometry
gesto gesture
gigante *m.* giant
glorioso glorious
gobernador, gobernadora governor; **teniente de —** lieutenant-governor
gobernar to govern, command, rule; steer
gobierno government
golpe *m.* blow; **dar el primer —** to strike first; **da tan gran — al caer** falls with such force
Gomera (la) one of the Canary Islands
Gómez, Esteban pilot of one of Magellan's ships
gorra cap
gozar to enjoy, take pleasure, delight; **— de** to enjoy

gozo joy, enjoyment, pleasure
gracia grace, wit, charm; **—s** thanks
grado degree
gran, grande large, big; tall; great; **río Grande** river which separates Texas from Mexico
Gran Can *see* **Can**
Granada city in southern Spain, famous for the Alhambra; **Nueva —** Colombia
grande *see* **gran**
grandeza greatness; grandeur
grandísimo very great
grano grain; seed; **— de garbanzo** chick-pea
grasa grease
grave grave, serious
gravedad *f.* seriousness, dignity
gravemente gravely, seriously, mortally
grillo cricket; **—s** fetters
gritar to cry, shout, yell
grito shout, cry, scream, shriek; **dar —s** to shout; **dar —s espantosos** to utter terrible cries
grueso thick, big around
grumete *m.* cabin boy
grupo group
Guadalquivir river of southern Spain which flows through Seville
Guanahaní Indian name for Watling Island, called San Salvador by Columbus
guante *m.* glove
guaraníes *m.* Indians living in parts of Brazil, Bolivia and Paraguay
guarda *m.* guard, bodyguard; **poner —s** to post guards
guardar to guard, keep, hold; observe, watch
guardia guard, police
Guatemala in the sixteenth century, a Spanish province; now a Central American republic
guerra war; **hacer —** to wage war
guerrero warrior
guía *m.* guide
guiar to guide, lead; steer
Guinea in general, the western coast of Africa
gusano worm
gustar to like, be pleasing; **(le) gusta** (he) likes; **como gustara** as he pleased
gusto taste; pleasure, ease; **dar —** to be a pleasure
Guzmán, Fernando de second leader of Orsúa's expedition

Habana (la) Havana (capital of Cuba)
haber to have; be, exist; **— de** to be to; **(yo) había de (entrar)** (I) was to (enter); **no había de cambiar** he wasn't going to change; **— que** to be necessary; **había** there was, there were
había *see* **haber**
hábil able, capable
habitación *f.* room, hall; **—es** quarters
habitante *m.* inhabitant
hablar to speak, talk
habrá, habría *see* **haber**
hacer to make, do; transact; **— blanco** to hit the mark; **— caso** to pay attention; **— fiesta** to make merry; **— fuego** to fire, open fire, make a fire; **— (buen) mal tiempo** to be (good) bad weather; **hace (cuatro días) que (no llueve)** it's (four days) since (it rained), for (four days) it hasn't (rained); **— un papel** to play a part; **— viento** to be windy; **hace tiempo** for some time; **—se** to become, take place, be done; **hacía quince días que había tormenta** it had been storming for fifteen days; **—se servir** to have one's self served
hacia toward, in the direction of
hacienda estate
hacha axe
hado fate, luck
hagamos *see* **hacer**
halagador flattering
hallar to find; **—se** to be, be situated; be found
hamaca hammock
hambre *f.* hunger; **pasar —** to suffer from hunger, go hungry; **morir(se) de —** to starve
hará, haríamos, harían *see* **hacer**

hasta until; up to, to, as far as; as many as; even; **— que** until
hay there is, there are; **— que** it is necessary, one should
haya, hayan *see* **haber**
hechizar to bewitch
hecho *p.p. of* **hacer** done; **lo —** what has been done; *m.* fact, deed
hemisferio hemisphere
henequén *m.* sisal; century plant whose fibres are used for textiles
heredar to inherit
herida wound
herir to wound, strike
hermano brother
hermoso beautiful, handsome
heroico heroic
herramienta tool
hervir to boil, cook
hice, hiciera, hiciéramos, hicieron, hicimos *see* **hacer**
hierba grass; herb; plant; green
hierro iron
hija daughter
hijo son; descendant; **—s** children, young, descendants
hilo thread; **hacer —s** to ravel, make lint
hinchar to swell, inflame
Hirrihigua Indian chief of west Florida who captured Juan Ortiz
historia history, story
histórico historic
hizo *see* **hacer**
hogar *m.* hearth, fireplace
hoja leaf, leaflet
hombre *m.* man
hombro shoulder
honda sling
hondo deep; **tener (cien pies) de —** to be (one hundred feet) deep
honor *m.* honor; **en — a** in honor of
honra honor
honrar to honor
hora hour; **por —s** by turns
hormiga ant
hospitalario hospitable
hospitalidad *f.* hospitality
hostil hostile
hoy to-day
hoyo hole
hubiera(n), hubiéramos, hubieron, hubimos *see* **haber**
hubo *see* **haber; no — más remedio que** there was nothing to do but
huerto orchard, garden
hueso bone
huésped *m.* guest; companion
huevo egg
huir to flee, escape; dodge
humano human
húmedo damp
humildad *f.* humility
humilde humble; cheap
humo smoke
hundir(se) to sink; **hundido** deep
huyas, huyendo, huyera(n), huyeron, huyó *see* **huir**

iba, íbamos, iban, ibas *see* **ir**
identificar to identify
ídolo idol, image
iglesia church
ignorar not to know (of)
igual equal, identical
Iguazú *m.* tributary of the Paraná whose falls are among the largest in the world
ilustre illustrious, distinguished
imagen *f.* image
imaginación *f.* imagination
imaginar to imagine, think
Imara inhabited region on the Amazon
imitar to imitate, follow, copy
impedir to prevent
imperio empire
ímpetu *m.* impetus, rush, onslaught, charge
impetuoso swift
importa it is important; **(nos) —** it behooves (us)
importancia importance
importante important
imposible impossible
impresión *f.* impression
improvisar to improvise, build in a hurry
impulso impulse
imputar to blame for
Inca ruler of the Indian empire, founded in the tenth century, which at the coming of the Spaniards com-

prised Peru, Ecuador and parts of Colombia, Bolivia, Chile and Argentina; **inca** one of his subjects
incalculable untold
incidente *m.* incident
incienso incense
incierto uncertain
increíble incredible
india Indian woman, girl
Indias Indies; — **Occidentales** West Indies
indicación *f.* instruction
indicar to indicate, mean
indignado indignant
indio Indian
industria industry, zeal; wit(s), cunning
infame infamous
infantería infantry
infeliz unhappy, wretched
inferior lower
infestar to infest
infierno hell, Hades
informar to inform
ingenio wit, intelligence
inglés English
injusticia injustice
injusto unjust, unfair
inmediatamente immediately
inmenso immense
insignificancia trifle
insignificante insignificant, trifling
insolencia insolence
insoportable unbearable, intolerable
inspirar to inspire
instante *m.* instant, moment; **al** — at once, instantly
intacto intact, untouched
inteligente intelligent
intención *f.* intention, purpose
intentar to attempt, try
interés *m.* interest
interior interior, within
intérprete *m. and f.* interpreter
íntimamente intimately
introducir to insert
inundar to inundate, flood
inútil useless
invadir to invade, flock into
invierno winter
invitación *f.* invitation
invitar to invite, ask
ir to go; to be; — **a bordo** to be on board; — **a medias** to share equally; —**se** to go away; — (**subiendo**) to keep (going up)
ira wrath, anger
Irala, Domingo de lieutenant-governor of Asunción
Isabela cape on the northern coast of Hispaniola, east of Monte Cristi
isla island
Italia Italy
izquierdo left; **a mano —a** to (by) the left

jamás never
Japón (el) Japan
jardín *m.* garden
jefe *m.* chief, leader
¡Jesús! Good Lord!; **Jesús Cristo** Jesus Christ
jornada day's journey, journey, trip, expedition; undertaking
joven young; *m.* young man; *f.* young woman
joya jewel
Juan Fernández island in the Pacific west of Chile, scene of the adventures of Alexander Selkirk (1704–1709), which inspired Defoe's *Robinson Crusoe*
jubón *m.* doublet; jacket
juego game
jueves Thursday; **Jueves Santo** Holy Thursday
juez *m.* judge
jugar to play; — **a los naipes** to play cards
julio July
junio June
juntar to join; assemble, gather, collect; —**se** (**con**) to join, come together, meet, gather
junto together, joined; — **a** near, close to, at
jurar to swear (allegiance), pledge
justicia justice, law
justificar to justify
justo just, fair; **más de lo** — too much
juzgar to judge

la the; it; her; — **de** the one from, that of; — **que** the one which (that); which
labio lip
labrador *m.* workman; farmer
labrar to till, cultivate; hew, polish
lado side; direction
ladrillo brick
ladrón *m.* thief
lago lake
lágrima tear
laguna lagoon, lake
lamentar to lament, regret
lana wool, fibre
lanza lance; length of a lance
largo long; **a paso** — in double time; **de (dos pies) de** — (two feet) in length; **tener de** — to be long, in length
las the; those; them; — **de** those of; — **que** those which; which
lástima pity
latitud *f.* latitude
le him; to him; for him; from him; her; to her; over her
lealtad *f.* loyalty
lebrel *m.* greyhound
leer to read
legión *f.* legion; **hacer (ser)** — to be innumerable, countless
legua league (from 2.42 to 4.6 miles)
legumbre *f.* vegetable
lejano removed, remote, distant
lejos far (away)
lengua tongue; language
lenguaje *m.* language
leña fire-wood
león *m.* lion; (in Florida) puma
les them; to them; from them
letra letter (of the alphabet)
levantar to raise, lift; put up; build; stir up; —**se** to rise, get up; mutiny
ley *f.* law
libra pound
librar to free, save, deliver; — **batalla** to fight
libre free; **al aire** — in the open
libro book
liebre *f.* hare
ligero light; fast, swift
Lima capital of Peru
limpiar to clean
limpio clean, neat; clear
lindo sweet, lovely, charming, pretty
línea line
linterna lantern
líquido liquid
Lisboa Lisbon, capital of Portugal; **río de** — Tagus
listo ready
lo it; the; — **de** the affair of, what happened at; — **que** what, which, that which; **de** — **que** than; — **(pasado)** what (had happened); **todo** — **que** all that
loco mad, insane, crazy; *m.* madman
locura madness, foolishness; **cayendo en su** — realizing what fools they had been
lograr to succeed in
los the; them; — **cuales** whom; — **de** those from, of; the men of; — **que** those who, those which, which, whom
luces *see* **luz**
lucha struggle, fight, fighting
luchar to fight, struggle
luego then, later; at once; — **que** after, as soon as
lugar *m.* place; site; village; **tener** — to take place
lujo luxury, splendor; choice morsel
luminoso luminous, bright
luna moon; **a la luz de la** — in the moonlight; **al salir la** — when the moon rises
lunes *m.* Monday
luz *f.* light; **a la** — by the light

llama *f.* llama (South American beast of burden)
llamar to call (upon), name; summon; —**se** to be called, to be named
llano flat, level; shallow; *m.* plain
llegada arrival
llegar to arrive; — **a** to reach, extend; come into; — **a (tener)** to come to (have)
llenar to fill; — **de atenciones** to heap favors (on a person)
lleno full, filled

llevar to carry, take; bear; have; lead; push; wear; — **cuenta** to keep an account; —**se** to carry off, take away
llorar to weep, cry, lament, mourn for; — **de alegría** to weep for joy
llover to rain; fall
lluvia rain

Machifaro Indian town and region on the Amazon
Madeira largest of the five Madeira islands; north of the Canaries and west of Morocco
madera wood
madre *f.* mother
maestra teacher
maestre (**de campo**) *m.* field marshal, second in command
Magallanes, Fernando de Ferdinand Magellan (1470–1521), Portuguese navigator, discoverer of the strait which bears his name; **estrecho de** — Strait of Magellan
magnanimidad *f.* magnanimity
magnífico magnificent, valuable, splendid, handsome
maíz *m.* corn; **pan de** — corn bread
majestad *f.* majesty; **Su M**— His Majesty
mal, malo bad; badly; *m.* evil, wrong, harm; plight, suffering; **de** — **en peor** from bad to worse; — **pensado** poorly planned, mistaken; — **rato** disagreeable experience
maldito cursed
Mal Hado Galveston Island (Texas); also identified with San Luis Island
Malinche name given by the Aztecs to Cortés
maltratar to maltreat, abuse
mancha stain, spot
mandar to order, command; — **decir** to send word (of); — (**construir**) to order (built)
mandioca manioc, yucca (root grated into flour from which bread is made; it was the principal food of both the Indians and the Spanish explorers)
mando command
manera manner, way; **de alguna** — in some way; **de otra** — otherwise; **de tal** — in such a way
mano *f.* hand; **hecho a** — handmade; **a** —**s de** at the hands of; **a** — **derecha** (**izquierda**) to, by the right (left); **dar la** — **a** to shake hands with; **pusieron** —**s a la bomba** they began to pump
manta robe; blanket
mantener to maintain, keep, hold; —**se** to stay
mantuvieron *see* **mantener**
mañana tomorrow; *f.* morning; **por la** — in the morning
mapa *m.* map
Mapocho valley in which the capital of Chile is located
mar *m. or f.* sea; **en alta** — on the high seas; **en el** — at sea; — **adentro** out to sea; — **del Norte** Caribbean Sea or Atlantic Ocean; — **del Sur** Pacific Ocean; — **océano** the Atlantic west of a line drawn from the Azores to Cape Verde
Maracapana port on the coast of Venezuela
Marañón name formerly given to the Amazon River; it is now applied only to the part of the Amazon west of the Canela and Cocama Rivers
marañón *m.* name given by Lope de Aguirre to the individual members of his expedition
maravedí *m.* old Spanish copper coin worth from $\frac{1}{7}$ to $\frac{7}{10}$ of a cent
maravilla marvel, wonder, astonishment; **ser** — to be astonishing
maravillado astonished
maravillarse to marvel, be astonished, be astounded
maravilloso marvellous
marcha march
marchar to march, go, walk; — **a paso largo** to march double time; —**se** to leave, go away
marea tide
Margarita, isla — island west of Trinidad, near the coast of Venezuela

marido husband
Marina Indian girl, interpreter and mistress of Cortés
marinero sailor, seaman
marqués *m.* marquis
martes *m.* Tuesday
marzo March
mas but
más more; most; plus; in addition (to); farther; other; **— de (que)** more than; **no — que** only; **no poder —** to be exhausted
máscara masquerade
matar to kill
Maule region of Chile, southwest of Santiago
mayo May
mayor greater; greatest; larger; largest; more; most; highest; oldest; **la — parte** most; **plaza —** main square
mayormente mainly
me me; to me; from me
mecer to rock; jerk
mediano medium, average
medianoche *f.* midnight
medias: ir a — to share equally, go fifty-fifty
médico physician, doctor; medicine man
medida measure; **a — que** as
medio medium; half; almost; middle; means; **en — de** in the midst of; **por — de** by means of, through
mediodía *m.* noon
medir to measure, survey
mejilla cheek
mejor better; best; **lo — que pude** as best I could; **— dicho** rather
memoria memory
Mendoza, Luis de treasurer of Magellan's expedition
Mendoza, Pedro de (1487–1537) first governor of the Plata region and founder of Buenos Aires
menor lesser, smaller; **el —** the least
menos less; least; **al —** at least; **a — que** unless; **— de** less than
mensaje *m.* message
mensajero messenger
mentir to lie
menudo: a — often
mercader *m.* merchant; trader
mercancías merchandise, goods
merced *f.* mercy; **ser (quedar) a — de** to be dependent upon
merecer to deserve
mes *m.* month
mesa table; mesa, tableland
Mesa, Hernando de bishop who accompanied De Soto to Cuba
meter to put (in), insert, place; **—se** to mix, join, enter, retire
método method
mexicano Mexican
México largest of the Central American republics; Mexico City (capital of Mexico)
mezcla mixture; mortar
mezclar to mix, mingle
Mezquita, Alvaro de captain of one of Magellan's ships
mezquite *m.* mesquite (desert shrub)
mi my; *pl.* **mis**
mí me
miedo fear; **dar —** to be terrifying; **tener —** to be afraid
miel *f.* honey
miembro member
mientras (que) while; as long as; **— tanto** meanwhile, in the meantime
miércoles *m.* Wednesday
mil (one) thousand; **—es** thousands
milagro miracle
milla mile
millón *m.* million
mimbre *m.* wicker, willow
mina mine
ministro minister
mío my, mine; of mine; **la mía** mine; **los míos** my men
mirada look, gaze
mirar to look (at); regard; **— a** to face, overlook
misa mass
miseria misery, poverty
misión *f.* mission; errand, message
Misisipí Mississippi
mismo same; self; himself; myself; itself; very; **ahora —** right now; **aquí (allí) —** right here (there);

lo — the same (thing); **nosotros —s** we ourselves
misterioso mysterious
mitad *f.* half; **a — de camino** halfway; **por —** in two halves (parts)
modelo model
modo way, manner; **de este —** in this way, thus; **de tal —** in such a way
molestar to bother, annoy
momento moment
mono monkey
Monroy one of Valdivia's captains
montaña mountain
montañoso mountainous
montar to mount
monte *m.* hill, mountain; forest
Monte Cristi cape and banks on the northern coast of Hispaniola
montés wild; **cerdo —** wild pig, wild boar
Montezuma last emperor of the Aztecs
montón *m.* heap, pile
morder to bite
moreno brown; dark; **— claro** light brown
morir(se) to die; **— de hambre** to starve
moro Moor
mostrar to show, display; express; appear; **—se** to prove to be; look
Motilones region of eastern Peru
motín *m.* mutiny, uprising
mover to move, shake, wriggle
movimiento movement
moza young (girl), girl
mozo young (man), youth
Mucozo Indian chief of West Florida, protector of Juan Ortiz
muchacha girl
muchacho boy, young man; **—s** boys; boys and girls
muchísimo very much; *pl.* very many
mucho much, a great deal of, a lot of, great; long; *pl.* many
muerte *f.* death; **dar —** to kill, put to death
muerto *p.p. of* **morir** dead; *m.* corpse
muestra sample
mujer *f.* woman; wife
multiplicar to multiply
multitud *f.* multitude, great number
mundo world; **todo el —** everybody
Munguía one of Aguirre's captains
munición *f.* munition; ammunition
murciélago bat; **— vampiro** vampire bat
muro wall, fortification
música music
muy very

nacer to be born; grow; rise
nacimiento birth; source
nada nothing; anything
nadar to swim
nadie nobody; anybody, anyone
naipes *m.* playing cards; **jugar a los —** to play cards
nao *f.* ship (*in this book used interchangeably with* **navío**); **— capitana** flagship
nariz *f.* nose
Narváez, Pánfilo de (c. 1480–1528) Spanish explorer in whose expedition Cabeza de Vaca came to Florida (1527)
natural natural, real; *m.* native
naturaleza nature
naufragar to be shipwrecked
naufragio shipwreck
navaja sharp blade
nave *f.* ship (*same as* **nao**); ship with one deck, sails and no oars
navegación *f.* navigation
navegar to sail; **íbamos navegando** we were sailing (along)
Navidad *f.* Christmas; settlement made by Columbus in Hispaniola (1492)
navío ship; old type of battleship having three masts, square sails and two to three decks mounted with cannon
necesario necessary
necesidad *f.* necessity, need; **sin —** unnecessarily
necesitar to need
negar to deny; refuse; **—se a** to refuse
negligencia negligence

negocio affair, transaction, errand; *pl.* business
negro black; **río N—** great northern tributary of the Amazon; *m.* negro
ni neither; nor; not even; **ni . . . ni** neither . . . nor; **— siquiera** not even
niegue *see* **negar**
nieve *f.* snow
ningún, ninguno none, not any; any; no one; **en —a parte** nowhere
niñez *f.* childhood
niño child, boy
Niza, Marcos de Franciscan friar who, in 1539, saw from a distance the Indian town of Zuñi, one of the fabled "Seven Cities of Cibola"
no not; no; **— obstante** nevertheless, however; in spite of; **— (pensaba) sino** (he) only (thought)
noche *f.* night, evening; **de —** at (by) night; **— de tormenta** stormy night; **esta —** tonight; **todas las —s** every night
nombramiento appointment
nombrar to name, appoint; mention
nombre *m.* name; **poner el —** to name
Nombre de Dios port on the Caribbean coast of Panama used by the Spanish galleons
nordeste *m.* northeast
noroeste *m.* northwest
norte *m.* north; **mar del N—** Caribbean Sea or Atlantic Ocean; **N— América** North America
nos us; to us; for us; from us; ourselves
nosotros we; us
nostálgico homesick
nota note
notar to notice, see
notario notary
noticia(s) (piece of) news; notice; **dar —** to inform; make known; **tener —** to know
novecientos nine hundred
novedad *f.* novelty, strange thing; misfortune, hardship, mishap
noviembre *m.* November
nudo knot
nueces *see* **nuez**
nuestro our, ours; of ours; **el —** ours; **los —s** our men
nueva(s) news
nueve nine
nuevo new; fresh; other, another; **N—a España** Mexico; **N—a Granada** Colombia; **N—a Valencia** town of Venezuela; **N— México** New Mexico; **de —** again
nuez *f.* nut
número number
numeroso numerous, many
nunca never
Núñez Cabeza de Vaca, Alvar (c. 1490–c. 1564) Spanish explorer of North and South America

o or; either; **o . . . o** either . . . or
obedecer to obey
obedezco *see* **obedecer**
obediencia obedience
obispo bishop
objeto object, instrument, weapon
obligación *f.* obligation, duty
obligar to oblige, compel; **verse obligado (a)** to be obliged to
obra work; job; building
obscurecer to grow dark
obscuridad *f.* darkness
obscuro dark
observar to observe, watch
obstáculo obstacle, barrier
obstante: no — nevertheless, however; in spite of
obtener to obtain
obtuvo *see* **obtener**
ocasión *f.* occasion, opportunity, chance
occidental western, west
océano ocean; **— Atlántico** Atlantic Ocean; **— Pacífico** Pacific Ocean; **mar —** the Atlantic west of a line drawn from the Azores to Cape Verde
ocre *m.* ochre (yellowish earth used as a pigment)
octavo eighth
octubre *m.* October
ocupación *f.* occupation

ocupar to occupy; enter; **—se en** to be busy at; **ocupado** busy
ocurrir(se) to occur
ochenta eighty
ocho eight
ochocientos eight hundred
odiar to hate
odio hatred
oeste *m.* west
ofender to offend
oficial official; *m.* officer
oficio job, duty, post
ofrecer(se) to offer
oír to hear, listen (to); **— decir** to hear; **lo había oído contar** he had heard it told
ojo eye; **con los —s bajos** looking down
ola wave
oler to smell
olor *m.* odor, fragrance
olvidar to forget
olla pot, kettle; jar
Omagua region variously thought to be in Peru, Colombia or Brazil, sometimes identified with El Dorado
once eleven
onza ounce
ópatas *m.* Indians who occupied what is now Sonora in northwest Mexico
operación *f.* operation
opinión *f.* opinion
oportunidad *f.* opportunity
opuesto *p.p. of* **oponer** opposed; opposite
oración *f.* prayer
Ordaz, Diego one of Cortés' captains
orden *f.* order; command; *m.* order, discipline
ordenar to order; **— hacer** to order made
ordinariamente usually
ordinario: de — usually
oreja ear
Orellana, Francisco de (c. 1490–c. 1546) a Spanish explorer who, departing from the expedition of Gonzalo Pizarro to the land of cinnamon in 1540, sailed the length of the Amazon
organizar to organize
orgullo pride
Oriente *m.* Orient
orilla bank, shore
Orinoco large river of South America running through Venezuela and emptying into the Atlantic
oro gold
Orteguilla page assigned by Cortés to serve Montezuma
Ortiz, Juan member of Narváez's expedition who was captured by Florida Indians and rescued by De Soto
os thee; you; to you
ostra oyster
otoño autumn
otro other, another; **al — día** the next day; **otra vez** again; **unos y —s** each other
oveja sheep; **— grande del Perú** llama
Oviedo, Lope de companion of Cabeza de Vaca in Mal Hado
oye, oyendo, oyeran, oyeron, oyes, oyó *see* **oír**

paciencia patience
paciente patient
pacificar to pacify, subdue
pacífico peaceful; **océano P—** Pacific Ocean
padre *m.* father; priest; **Padre Nuestro** the Lord's Prayer
pagar to pay (for)
página page
paja straw
pajarito little bird
pájaro bird
paje *m.* page; valet
palabra word
palacio palace
palio canopy
palma palm tree
palmito palmetto
palo stick, pole; blow; mast; **— brasil** Brazil wood; **— de vela** mast, yard; **matar a —s** to club to death
paloma dove
Palos town of southwestern Spain from which Columbus set sail

pan *m.* bread; — **de maíz** corn bread

Panamá Central American country; city on the Pacific coast of the isthmus, center of all colonial South American trade with Spain

Pánuco in 1527, northernmost Spanish settlement on the Gulf of Mexico

paño cloth; canvas

papagayo parrot

papel *m.* paper; role; **hacer un** — to play a part

par *m.* pair; **un — de horas** a few (couple of) hours

para to, toward; in order to, for; by; — **que** in order that, so that; **estar** — to be about to

Paraguay (el) South American republic; river running through it, forming its southwestern boundary and emptying into the Paraná

paraíso paradise; **valle del P—** summer residence of the kings of Portugal, northeast of Lisbon

paralelo parallel

Paraná *m.* river forming the southern and lower eastern boundary of Paraguay

parar to stop

parecer to seem, look like, appear

parecido similar (to), like

pared *f.* wall

pariente *m.* relative

parte *f.* part, side; region; place; **de — a —** through; **de — de** on behalf of; **en ninguna —** nowhere; anywhere; **por todas —s** everywhere

particular particular; private

partida departure

partidario partisan

partir to depart, leave, set sail

pasaje *m.* passage

pasajero temporary; *m.* passenger

pasar to pass, go, go on; cross; carry across; spend; happen; undergo; — **hambre** to go hungry; **el año pasado** last year; **lo pasado** what happened; **—se a** to go over to

pasear(se) to take a walk, stroll

pasión *f.* passion

paso step, pace; **a — largo** in double time; **mal —** bad stretch

pastel *m.* pie, cake, pastry

Pastene, Juan Bautista loyal friend and pilot of Valdivia

pastor *m.* shepherd

pata leg; foot

patagón having large feet

Patagonia southernmost region of South America, south of about 40° latitude, which includes parts of Argentina and Chile

patata potato

patear to kick

patio courtyard

pato duck

pavo turkey

payaguayes *m.* Indians occupying regions along the Paraguay River

paz *f.* peace; **de —** peacefully; **dejar en —** to let alone

pecado sin

peces *see* **pez**

pecho chest

pedazo piece; **hacer —s** to tear up

pedernal *m.* flint

pedir to ask (for), demand, request

pegar to stick, join, attach

peine *m.* comb

pelear to fight

peligro danger, risk

peligroso dangerous

pelo hair

penetrar to penetrate; enter; sink

península peninsula

pensamiento thought

pensar to think, think out; expect; intend, plan; — **en** to think of

pensión *f.* pension

peña cliff, crag, rock

peor worse; worst; **de mal en —** from bad to worse

pequeño small; **por — que sea** no matter how small it may be

perder to lose; — **de vista** to lose sight of; **—se** to get lost

perdón *m.* pardon, forgiveness

perdonar to pardon, forgive; spare

perfección *f.* perfection; **a la —** to perfection

perfecto perfect

perfidia perfidy, treachery
perforar to perforate, pierce
perfumar to perfume
perla pearl
permanecer to remain, stay
permanente permanent
permiso permission
permitir to permit, allow
Pernambuco northeastern state of Brazil, nearest point of South America to Africa
pero but
perro dog
perseguir to pursue, harass
persona person, individual
persuadir to persuade
persuasión *f.* persuasion
Perú (el) in the sixteenth century, a Spanish viceroyalty; now a South American republic
peruano Peruvian
perverso perverse, wicked
pesado heavy
pesar to weigh; **a — de** in spite of
pesca fishing
pescado fish
pescar to fish
peso weight; monetary unit (in Spain, it is the same as the duro; in Spanish America, its value varies with the country)
pez *m.* fish
pica pike
picar to sting, bite
pie *m.* foot; leg; **a —** on foot; **dedo del —** toe; **en —** on foot, standing; up; **— desnudo** barefoot
piedra stone, pebble, rock
piel *f.* skin; rawhide
pierna leg
pieza piece; coin; cannon
piloto pilot
pimienta pepper
pingüino penguin
pino pine
pinta spot; mark
pintar to paint; **— de (negro)** to paint (black)
pintor *m.* painter, artist
Pinzón, Martín Alonso captain of the *Pinta*
Pinzón, Vicente Yáñez captain of the *Niña*, who in 1500 discovered the mouth of the Amazon
piñón *m.* piñon nut (edible seed of certain pines)
pirata *m.* pirate
Pizarro, Francisco (1475–1541) Spanish conqueror of Peru
Pizarro, Gonzalo (1502–1548) brother of Francisco Pizarro, explorer and rebel
plancha disk, plate
planta plant
plantar to plant
plata silver
Plata (el) estuary lying between Argentina and Uruguay, formed by the union of the rivers Paraná and Uruguay
playa beach, shore
plaza square; market; **— mayor** main square
pluma feather; **—(s)** plumage
población *f.* population; town; settlement
poblado settled area; town
poblar to settle, inhabit
pobre poor, unhappy, unfortunate
poco not much, few, lacking, little; **al — tiempo** soon afterwards; **— antes** shortly before; **— después** shortly after; **—a cosa** of no account; **a — (de)** shortly after; **al — tiempo** shortly after; *pl.* few, not many, insufficient
poder to be able, can; may; **no — más** to be exhausted; *m.* power, authority; **caer en — de** to fall into the hands of
poderoso powerful, strong
podría(n) *see* **poder**
podrir(se) to rot, spoil
poético poetic
polar polar, north; **estrella —** North Star
polvo dust; **— de las maderas** sawdust
pólvora gunpowder
pollo chicken
Ponce, Hernán associate of De Soto in Peru
pondré *see* **poner**

poner to put, place, set; make; give; — **fuego a** to set fire to; — **huevos** to lay eggs; **pusieron manos a la bomba** they began to pump; —**se** to become; grow; put on; to set (as the sun); —**se a** to begin to
popa poop, stern
Popocatépetl (el) volcano about 17,794 feet high, approximately fifty miles southeast of Mexico City
poquísimo very little; *pl.* very few
por for; in exchange for; by; along; at; in; on; as; to; through; over; because of; for the sake of; — **decir** instead of saying; — **entre** through; — **eso** for that reason, that's why; — **fin** at last; — **la (noche)** at (night); — **(pequeño) que (sea)** no matter how (small it) may (be); — **(ser)** because of (being)
porque because, since; in order that
¿por qué? why?
Portugal country of southwestern Europe
portugués Portuguese
poseer to possess
posesión *f.* possession
posible possible
posición *f.* position
posterior later
potro colt
preceder to precede
precioso precious, valuable; beautiful
precursor *m.* precursor, predecessor
predicar to preach
preferir to prefer, choose
preguntar to ask
prelado prelate
premio prize
prenda jewel; talent; fine quality
prender to catch, capture, arrest
preocupar(se) to worry
preparar to prepare, fit out; —**se** to prepare, get ready
preparativo preparation
prescribir to prescribe, stipulate
presencia presence
presentar to present, give; —**se a** to come before
presente present; *m.* gift
presidente *m.* president; chief justice
prestar to lend; — **atención** to pay attention
presumir to presume, show
primavera spring
primer, primero first; chief; best; at first
princesa princess
principal principal, main, head; distinguished
príncipe *m.* prince
principiar to begin
principio beginning; **a —s** at the beginning; **al —** at first
prisa haste; **a toda —** with the greatest speed
prisionero prisoner
privado private
privar to deprive
proa prow, bow
probar to prove
proclamar to proclaim, make known, inform
procurar to try
producir to produce, yield
prohibir to forbid
prometer to promise
pronto soon; right away; **tan — como** as soon as
pronunciar to pronounce
propio own; very; suitable
proponer to propose, decide; —**se** to make up one's mind
proporcionado proportioned
propósito purpose, intention
propuesto *p.p. of* **proponer** proposed
prosa prose
prosperar to prosper
próspero prosperous; — **viento** favorable wind
proteger to protect
proveer to provide, equip
proveyó *see* **proveer**
provincia province; region
provisión *f.* provision, food
provisto *p.p. of* **proveer** provided
próximo next, following
prudente prudent, wise
prueba proof, evidence
publicar to publish, spread, make known
público public

pude, pudiendo, pudiéramos, pudiera(n), pudieron, pudimos, pudo *see* **poder**
pudrieron *see* **podrir (pudrir)**
pudrir *see* **podrir**
pueblo town, settlement; people
puedo *see* **poder**
puente *m.* bridge
puercoespín *m.* porcupine
puerta door
puerto port; harbor
Puerto Rico smallest of the Greater Antilles
pues for, because, since; therefore; then
puesto stall, booth
puesto *p.p. of* **poner** put; — **que** since
pulgada inch
punta point, end, tip; promontory
punto point, place, landmark
puño fist
puro pure
puse, pusiéramos, pusieron, pusimos, puso, *see* **poner**

que which, who, whom, that; for; to; than; as; when; **el** — he who, whoever; **la** — the one which; **lo** — what; **buscar** — **comer** to look for something to eat
¿qué? what? how?
¡qué! how! what a!
quebrar to break
quedar to be left; remain; — **(ofendido)** to be (offended); —**se** to remain; stay; —**se con** to keep
quejarse to complain
quemar to burn
querer to wish, want; like; love; — **decir** to mean
Quesada, Gaspar de one of Magellan's captains
quien who, the one who, whom, to whom; whoever; **como** — **sois** as befits your station; —**es** those who
quién who
quince fifteen; — **días** two weeks
quinientos five hundred
quinto fifth
quipu *m.* knot; thread with knots
quipucamayu *m.* official who kept the Inca records
quisiéramos, quisiera(n), quisieron, quiso *see* **querer**
quitar to take away (from), remove; drive away; — **la vida** to kill; — **la vista** to blind; —**se** to take off, out
Quito capital of Ecuador
quizá(s) perhaps

ración *f.* ration(s), provision, allowance
raíces *see* **raíz**
raíz *f.* root; **a** — **de** shortly after
rama branch
rapidez *f.* rapidity, swiftness
raro rare, queer, strange
rata rat
rato while; time; **pasado un** — after a while; **mal** — bad time, disagreeable experience
raya line, streak; sting-ray (fish-like vertebrate with disk-shaped body, having near the base of the tail a sharp spine capable of inflicting dangerous wounds)
rayo lightning
raza race
razón *f.* reason, explanation; **tener** — to be right; **no tener** — to be wrong
real royal; **camino** — highway; *m.* camp
realizar to carry out, achieve
rebelarse to rebel, revolt
rebelde *m.* rebel
rebelión *f.* rebellion
recibir to receive, accept; meet
recoger to gather, pick up
recomendación *f.* recommendation; **carta de** — letter of introduction
recomendar to recommend
reconocer to recognize, identify; realize
reconstruir to reconstruct
recordar to remember; remind (of), recall
recorrer to cover (ground)
recuerdo remembrance, memory
recurso recourse, alternative
red *f.* net

redondo round; **a la —a** around
reducir to reduce, shorten
redujeron, redujo *see* **reducir**
refugio refuge
regalar to give, present
regalo present, gift
regar to water, irrigate
región *f.* region
regla rule
rehén *m.* hostage; **en rehenes** as hostages
reina queen
reino kingdom, realm
reír(se) to laugh, smile; **—se (de)** to laugh (at)
relación *f.* account, story
relativamente relatively
relato account
relincho neigh; **—s** neighing
remanso pool; backwater, inlet
remar to row
remediar to do something about
remedio remedy; **no hubo más — que** there was nothing to do but; **sin —** without fail, invariably, inevitably
remo oar
remoto remote
rendir to overcome; overpower; **—se** to surrender
renta income, pension
reñir to quarrel, fight
reparar to repair
repente: de — suddenly
repetir to repeat
representante *m.* representative
representar to represent
reproducir to reproduce
requerir to inform, explain; require
resina resin; sap
resistencia resistance
resistir to resist
resolución *f.* decision
resolver to resolve, decide
respecto: con — a with respect to
respetar to respect
respeto respect
responder to answer, reply
respuesta answer, reply
restar to subtract
restituir to restore
resto rest

resuelto *p.p. of* **resolver** resolved
resultado result
resultar to result; be; **— (ser)** to prove to (be)
resumen *m.* résumé, summary
retirar to withdraw; **—se** to retire, retreat, withdraw; go to bed
retrato portrait, picture
reunión *f.* meeting
reunir to gather (together); **—se** to meet
revelar to reveal
reverencia reverence
revés *m.* reverse
rey *m.* king; **—es** kings, king and queen; **Reyes Católicos** Ferdinand (1452–1516) and Isabella (1451–1504) of Spain; **puerto de los —** settlement on the Paraguay River
rezar to pray; **— un Padre Nuestro** to say the Lord's Prayer
ría inlet
rico rich; delicious; fine
rigor *m.* severity
riña quarrel, fight
riñeran *see* **reñir**
río river; **— abajo (arriba)** down (up) stream; **— de Lisboa** the Tagus; **— de Sevilla** the Guadalquivir; **— Negro** great northern tributary of the Amazon
riqueza(s) riches, wealth, treasure; splendor
riquísimo very rich
robar to steal
roble *m.* oak
roca rock, stone; cliff
rodar to roll (down)
rodear to surround; go around, encircle; **rodeado de** surrounded by
rodilla knee; **de —s** kneeling
rogar to beg, pray, entreat
rogué *see* **rogar**
Rojas, Juan de lieutenant-governor of Cuba appointed by De Soto
rojo red
romántico romantic
romper to break; break through, shatter; tear; **—se** to break
ropa(s) clothes, clothing; **— blanca** bed linen
rosa rose

rostro face
roto *p.p. of* **romper** broken
rueda wheel
rugir to roar
ruido noise, fuss
ruina ruin, fall
rumbo course, route; **con — a** toward, bound for
ruta route

sábado Saturday
sabana savannah (extensive grassy plain, sometimes partly wooded)
saber to know (how); learn (of); **al —** on learning; **—se** to be known
sabio wise
sacar to take (out), remove; put out; draw, get out, bring out; drive out; pump out; suck; rescue; mine; **— fuego** to strike fire
sacerdote *m.* priest; father
saco sack, bag
sacrificar to sacrifice
sacrificio sacrifice, offering
Sacsahuaman heights north of Cuzco where the Incas built a huge fortress which still exists
sala hall, room
salado salted
salario salary
Salazar, Gonzalo de commander of the fleet which accompanied De Soto's
salida departure; sally
salir to go out, come out, go; start out; leave; rise; turn out; **al — el sol** at sunrise; **— de** to leave
saltar to jump, fall, leap (up)
Saltés bar, island and river opposite La Rábida, southwest of Palos
salto jump, bound, leap; **dar un —** to jump
salud *f.* health
saludable healthful, healthy
salva salvo, volley
salvación *f.* salvation
salvar to save
salvo safe; except; **sano y —** safe and sound
San Antonio Saint Anthony
San Cristóbal St. Christopher
sandalia sandal
San Felipe name given by Magellan to the second bay within the strait which bears his name
sangre *f.* blood; **echar —** to bleed
San Julián bay in southeastern Argentina
Sanlúcar port in southwestern Spain, northwest of the bay of Cádiz, at the mouth of the Guadalquivir
San Marcos St. Mark
San Miguel Saint Vincent Island, also identified with Dog Island, off the northwestern coast of Florida; island in the Strait of Magellan
sano healthy; **— y salvo** safe and sound
San Salvador Watling Island (island of the Bahamas where Columbus landed on October 12, 1492; called by the natives Guanahaní)
santa saint
Santa Catalina island off the coast of Brazil
Santa Cruz river in southeastern Argentina
Santa María the Virgin Mary; flagship of Columbus' first expedition; one of the Azores; **— de Guadalupe** town of southwestern Spain, famous for an image of the Virgin said to perform miracles
San Telmo St. Elmo (patron saint of Mediterranean sailors)
Santiago St. James, patron saint of Spain; city and port in southeastern Cuba; capital of Chile, founded by Pedro de Valdivia in 1541
santo holy; *m.* saint
Santo Domingo Hispaniola (second largest island of the West Indies, called Española by Columbus)
saqué *see* **sacar**
sardina sardine; **río de las S—s** river flowing into the Strait of Magellan
sastre *m.* tailor
satisfacer to satisfy
satisfecho *p.p. of* **satisfacer** satisfied
satisfizo *see* **satisfacer**

se himself, herself, (to) themselves; him, her, it, them; to him, for him, to her, to it, to them; each other, (to) one another; **se** is frequently used instead of a possessive, frequently gives a passive meaning to an active verb, is translated by "one" or "they"

sé *see* **saber**

sean *see* **ser**

secar to dry

seco dry

secretamente secretly

secreto secret

sed *f.* thirst; **tener —** to be thirsty

seda silk; **de —** silky

sedicioso seditious, rebellious

seducir to charm, dazzle

seguida: en — at once

seguir to follow; continue, go on, keep on; **— adelante** to go ahead; **— viaje** to continue one's journey; **seguido de** followed by

según according to

segundo second

seguramente surely

seguridad *f.* security

seguro sure, certain; safe

seis six

seiscientos six hundred

sellar to seal

sello seal, stamp

semana week; **a las dos —s** after two weeks; **S— Santa** Holy Week

sembrar to sow; raise, grow

semejante similar, like

sencillo simple; innocent

sentar to seat; **—se** to sit (down)

sentido sense, meaning

sentimiento feeling, emotion; sorrow, regret

sentir to feel; regret; **—se** to feel; be felt

seña sign, signal

señal *f.* sign, token, proof, trace

señalar to appoint, select, choose; point

señor lord, master, ruler; gentleman; sir, Mr.; **el Señor** the Lord

señora mistress; lady; **Nuestra Señora** Our Lady, the Virgin

sepan *see* **saber**

separadamente separately, one at a time

separar to separate; estrange; set aside, put away; **—se** to separate; be away; withdraw, leave; **volvieron a quedar separados** they were again separated

septiembre *m.* September

séptimo seventh

ser to be; **— de** to belong to; **es decir** that is (to say)

Serena (la) coastal city of northwestern Chile founded by Pedro de Valdivia

sergas exploits

serpiente *f.* serpent, snake; **— de cascabel** rattlesnake

Serrana island about sixty miles east of Nicaragua

Serrano, Pedro Spaniard shipwrecked on Serrana

servicio service; utensils; **— de cocina** kitchen utensils

servir to serve; **— de** to serve as; **haciéndose —** having himself waited on

sesenta sixty

Setebos a deity worshipped by the Patagonians

setenta seventy

severamente severely

Sevilla Seville (city in southern Spain); **el río de —** the Guadalquivir

sevillano of (from) Seville

sexto sixth

si if

sí yes; themselves; **por —** in themselves

siembra sowing, seeding

siempre always; **— que** whenever

sierra sierra, mountain range

siesta siesta, after-dinner nap; **dormir una —** to take a nap

siete seven

siglo century

significación *f.* meaning

significar to mean

siguiente following, next

siguiera *see* **seguir**

silbar to whistle, rattle, hiss

Silvestre, Gonzalo one of De Soto's soldiers
silla chair; saddle
sin without; — **embargo** however; — **mi voluntad** against my will; — **que (riñeran)** without their (quarreling)
sino but; except; **no . . .** — only; **no sólo . . .** — **también** not only . . . but also
siquiera at least; even; **ni** — not even
sistema *m.* system
sitio place, site; room
situación *f.* situation; plight
situar to locate
sobre on, upon; over; about; — **todo** especially
sobresalir to excel
sobrino nephew
socorrer to help
sofocar to put an end to, crush
soga rope
sois *see* **ser**
sol *m.* sun; **al** — in the sun; **al ponerse el** — at sunset; **al salir el** — at sunrise; **antes de salir el** — before sunrise; **después de ponerse el** — after sunset
solar solar, of the sun
soldado soldier
solo alone; single; lonely
sólo only; **no** — . . . **sino también** not only . . . but also
soltar to release, set free; loosen
sombra shade, shadow
sombrero hat
sonaja rattle
sonar to sound; **hacer** — to rattle
soñar to dream
soplar to blow (on)
sorprendente surprising, wonderful
sorprender to surprise
sorpresa surprise; **con gran** — **(nuestra)** to (our) great surprise
sospecha suspicion
sospechar to suspect
sospechoso suspicious
sostener to hold (up)
Soto, Hernando de (1496?–1542) famous Spanish explorer who served in Panama and Peru and led an expedition (1538) to Florida; he died soon after reaching the Mississippi and was buried in it
soy *see* **ser**
su his, her, its, their; **S— Majestad** His Majesty; *pl.* **sus**
suave soft, gentle, sweet
suavemente gradually, imperceptibly
suavidad *f.* gentleness
subir to go up, come up, rise, climb; raise, bring up; — **por** to go up; —**se** to climb
substituir to substitute, take the place of, replace
suceder to happen; **lo sucedido** what happened
sucesión *f.* succession
sucesivamente successively: **y así** — and so forth
suceso event
sucesor *m.* successor
sud *m.* south
sudeste *m.* southeast
sudoeste *m.* southwest
sudsudeste *m.* south southeast
suelo ground; floor; bottom; **echar al** — to knock down
sueño sleep; dream
suerte *f.* luck, fate, lot, chance; good luck; kind, sort
sufrimiento suffering
sufrir to suffer, stand
sujetar to hold, fasten; overpower
suma sum
sumar to add
supe, supiera, supieron, supimos *see* **saber**
súplica supplication, entreaty
suplicar to beg
supo *see* **saber**
supremo supreme
sur *m.* south; **mar del S—** Pacific Ocean
suyo his, her, hers, its, their, theirs; of theirs; of his; **el** — his; **la suya** theirs; **lo** — his (own money); **los —s** his men, followers

tabaco tobacco
tabla board, plank; layer
Tacuba town about four miles northwest of Mexico City

tal such, such a, so great; this; — **como** such as, just as; **con — que** on condition that
talento talent
tamaño size
también also, too
tambor *m.* drum
tampoco neither; either
tan so, as, such (a); — . . **como** as . . . as; **¡qué (verdad) — (hermosa)!** what a (beautiful truth)!; — **pronto como** as soon as
tanto so much, as much; — **como** as much as, as large as; **mientras** — meanwhile; —**s** so many, as many; —**s . . . como** as many . . . as; **tanta gente** so many people
tapa lid, cover
tapir *m.* tapir (a large herbivorous mammal)
Tarapacá northern province of Chile whose capital is the port of Iquique
tardar to be long, be late (in); — **en** to be long in; **sin** — without delay
tarde late; **más** — later; *f.* afternoon, evening; **por la** — in the afternoon (evening)
te thee, you, to you
techo roof, ceiling
tela cloth
temblar to tremble, shake
temer to fear
temor *m.* fear
tempestad *f.* tempest, storm
templado temperate, mild
templo temple
temprano early
tender to spread, lay across
tendréis, tendría, tendríamos *see* **tener**
tener to have; keep; consider; — **(cuatro leguas) de (ancho)** to be (four leagues wide); — **lugar** to take place; — **miedo** to be afraid; — **por** to consider; — **por cierto** to believe, be convinced; — **que** to have to; — **razón** to be right; — **sed** to be thirsty; — **(tres) años** to be (three) years old; **se tuvo por muerto** he thought he was as good as dead
Tenerife one of the Canary Islands
tengan, tengo *see* **tener**
teniente *m.* lieutenant; — **de gobernador** lieutenant-governor
tentación *f.* temptation
tercer, tercero third
tercio third
terciopelo velvet
terminar (de) to end, finish
término end, ending
ternera calf
terreno terrain, land, soil, country, ground
territorio territory
tesorero treasurer
tesoro treasure
teul *m.* god, demon
Texcuco (*same as* **Texcoco**) town northeast of Mexico City
ti you
tiburón *m.* shark
tiempo time; while; weather; **a** — on (in) time, on the spot; **al poco** — soon afterwards; **con el** — after a while, in the course of time; **hace** — for some time; **hacía mucho** — it was a long time; **hizo mal (buen)** — the weather was bad (good); **un** — for a time
tierra land, soil, earth; region; country; shore; — **firme** mainland, the Main; — **adentro** in the interior; **a (en)** — ashore
tigre *m.* tiger
tijeras scissors
timón *m.* helm, rudder
tío uncle
tiranía tyranny, despotism
tirano tyrant, despot
tirar to throw, shoot; — **de** to pull (at)
tiro shot; — **de ballesta** as far as a crossbow can shoot; **disparar un** — to fire a shot
titular to entitle
título title, rank, commission
tizón *m.* firebrand; ember
Tlaxcala Indian state east of Mexico City whose alliance helped Cortés to conquer Mexico

tocar to touch; beat; play, sound, blow; — **alarma** to sound the alarm
tocino bacon
Tocuyo town of Venezuela whose men joined the king's army in Barquisimeto to fight against Aguirre
todavía yet, as yet, still
todo all; whole; every; — **el mundo** everybody; — **lo que** all that, as much as; **del** — altogether, through; **sobre** — especially
tolerar to tolerate
tomar to take; take on; take possession of; catch; fetch; — **el aire** to get (some) fresh air
toque *m.* beating (of drums)
torcer to twist
tormenta storm; **hacía quince días que había** — the storm had been raging for fifteen days; **noche de** — stormy night
tormento suffering
toro bull; —**s** bullfight
torre *f.* tower
tórtola turtle-dove, pigeon
tortuga turtle
total *m.* total; **en** — in all, all told
totoloque *m.* old Mexican game similar to quoits
trabajar to work
trabajo work, job, task, toil; difficulty, hardship
tradición *f.* tradition
traducir to translate
tradujera *see* **traducir**
traer to bring, carry; wear; have
trágico tragic, fatal
tragicómico tragicomical
traición *f.* treason, treachery
traidor *m.* traitor
traigan *see* **traer**
traje *m.* suit, dress; clothes
traje, trajera(n), trajeron, trajo *see* **traer**
tranquilo calm, quiet
transmisión *f.* transmission
transparencia transparency
transparente transparent
transportar to transport
tras after
tratamiento treatment
tratar to treat; try; associate with, deal with; address; — **de** to try to; treat of; —**se de** to be a question of, be a matter of
travesía crossing
trayendo *see* **traer**
trece thirteen
treinta thirty
tres three; **de** — **en** — three by three, by three's
trescientos three hundred
tribu *f.* tribe
tributar to pay (in) tribute
tributo tribute
trigo wheat
Trinidad *f.* Trinity
triste sad; **poner** — to sadden, depress; **ponerse** — to grow sad
triunfo triumph
trivial trivial; **cosa** — trifle
trofeo trophy
trompeta trumpet
tronco (tree) trunk
tropezar to stumble; — **con** to bump into, run into
tu thy, your
tú thou, you
tuna prickly pear (edible fruit of the nopal cactus)
turbar to disturb, confuse, upset
turno turn; **por** — by turns
turquesa turquoise
tuviera, tuvimos, tuvo *see* **tener**

u (*before word beginning with* **o** *or* **ho**) or
último last; **a última hora** at the very end; **por** — last; at last; finally; **por última vez** for the last time
un, uno a, an; one
único only (one)
unir to join, connect; —**se a** to join
unos some, about, a few, nearly; — **cuantos** a few; — **a otros** each other
usar to use; **de las usadas** like those used
uso use
usurpar to usurp
uva grape; — **de la playa** a species of grape found on beaches

va *see* **ir**
vaca cow; *pl.* cattle
vacío empty
vado ford
Valdivia, Pedro de (1500?–1554?) conqueror of Chile
valer to be worth; — **por** to be the equal of, be worth as much as; —**se de** to make use of
valor *m.* valor, courage; value; **por — de** valued at, amounting to
Valparaíso largest port of Chile
Valladolid Spanish city northwest of Madrid
valle *m.* valley
vamos *see* **ir**
vampiro vampire; **murciélago —** vampire bat
van *see* **ir**
vanidad *f.* vanity, conceit
vara pole, rod, stick
variedad *f.* variety
vario varied, various
vasallo vassal, subject
vasija vessel, container, receptacle, jar
vasto vast
vayáis *see* **ir**
veces *see* **vez**
vecino neighboring, nearby; *m.* neighbor; inhabitant
Vega, Garcilaso de la *see* **Garcilaso de la Vega, el Inca**
vegetación *f.* vegetation
veinte twenty
veis *see* **ver**
vejez *f.* old age
vela candle; sail; **a la —** under sail; **alzar —s** to set sail; **palo de —** mast, yard
velar to watch, guard
Velázquez, Diego de governor of Cuba who sent Cortés to Mexico
venado deer
vencedor *m.* conqueror
vencer to overcome, conquer, defeat, subdue; be too much for; endure
veneciano Venetian
vender to sell
veneno poison
venezolano Venezuelan
Venezuela in the sixteenth century, a Spanish province; now a South American republic
venganza vengeance
vengar to avenge; —**se (de)** to wreak vengeance, avenge one's self (on)
vengo *see* **venir**
venir to come
ventana window
ventura luck, good fortune
ver to see; —**se** to be seen, be; look, turn; be visible; appear; **¡ahora lo veréis!** now you'll see!
Vera Cruz Mexican port on the Gulf of Mexico
verano summer
veras: de — truly, really, indeed
verdad *f.* truth; **en —** really; **es —** it is true
verdadero true, real
verde green
Verde, Cabo *see* **Cabo Verde**
versión *f.* version
verso verse
Verzín old name for Brazil (from *verzino*, Italian for Brazil wood)
vestido dress, clothes
vestir to dress
vez *f.* time, occasion; **a la —** at the same time; **a veces** sometimes; **cada — más** more and more; **de — en cuando** from time to time; **dos veces** twice; **en — de** instead of; **muchas veces** often; **otra —** again; **por última —** for the last time; **una —** once
viajar to travel, sail
viaje *m.* voyage; trip, journey
viborezno young snake
víctima victim
victoria victory
vicuña vicuña (small llama-like animal of the high Andes which has silky wool)
Vichilobos Aztec god of war
vida life; **con —** alive; **hacer —** to lead a life; **perder la —** to die; **quitar la —** to kill; **va a costar la — a muchos** it is going to cost many lives
vidrio glass

viejo old; former; *m.* old man; *f.* old woman
viento wind; **hacer —** to be windy
vientre *m.* belly, stomach
viernes *m.* Friday
vigilancia vigilance, watch
Villandrando, Juan de governor of Margarita Island in 1561
vinagre *m.* vinegar
viniera, vinieron, vino *see* **venir**
vino wine
violencia violence
virar to tack, veer
virgen *f.* virgin; **estrecho de las Once Mil Vírgenes** first name given to the Strait of Magellan
virrey *m.* viceroy
virtud *f.* virtue; **en — de** by virtue of
visita visit
visitar to visit
víspera eve, day before
vista view, sight; **a — de** in sight of; **en — de** in view of; **perder de —** to lose sight of; **quitar la —** to blind
visto *p.p. of* **ver** seen
vistoso showy, bright-colored
¡viva! long live!
vívido vivid
vivir to live, dwell; **¡viva el rey!** long live the king!; **— del mar** to live on seafood; **— de pescado** to live on fish
vivo alive, living, live; **los —s** the living
voces *f.* *see* **voz: dar —** to shout
volar to fly; spread
volcán *m.* volcano
voluntad *f.* will; good will; permission; wish; **de buena —** willingly; **ganar su —** to win them over; **tener buena — a** to be well disposed toward
volver to return, come back; **— a (ver)** to (see) again; **— de espaldas** to turn over; **— la espalda** to turn one's back; **—se** to go back; turn around, face; become; **— atrás** to turn back
vosotros you
voto vow
voy *see* **ir**
voz *f.* voice; **en alta —** aloud; **en — alta** in a loud voice
vuelta return (voyage)
vuelto *p.p. of* **volver** returned
vuestro thy, thine, your; **los —s** your men

Xicotengo one of the chiefs of Tlaxcala

y and
ya already; once; now; from now on; **— no** no longer; **— podemos imaginar** we may well imagine; **— que** since, seeing that
yegua mare
yendo *see* **ir**
yo I
yuca yucca (*same as* **mandioca**; root from which tapioca is extracted)
Yucatán peninsula of Central America which includes the Mexican States of Campeche and Yucatan and the territory of Quintana Roo

zanja ditch; pit
zapato shoe